主　編◎錢超塵
副主編◎王育林　劉　陽

明吴悌本《素問》

北京科学技术出版社

圖書在版編目（CIP）數據

明吴悌本《素問》/ 錢超塵主編. —北京：北京科學技術出版社，2019.3
（《黄帝内經》版本通鑒. 第一輯）
ISBN 978－7－5714－0100－9

Ⅰ. ①明… Ⅱ. ①錢… Ⅲ. ①《素問》 Ⅳ. ①R221.1

中國版本圖書館 CIP 數據核字（2019）第018248號

明吴悌本《素問》（《黄帝内經》版本通鑒・第一輯）

主　　編： 錢超塵
策劃編輯： 侍　偉　吴　丹
責任編輯： 吕　艷　周　珊
責任印製： 李　茗
責任校對： 賈　榮
出 版 人： 曾慶宇
出版發行： 北京科學技術出版社
社　　址： 北京西直門南大街16號
郵政編碼： 100035
電話傳真： 0086-10-66135495（總編室）
0086-10-66113227（發行部）　0086-10-66161952（發行部傳真）
電子信箱： bjkj@bjkjpress.com
網　　址： www.bkydw.cn
經　　銷： 新華書店
印　　刷： 北京虎彩文化傳播有限公司
開　　本： 787mm×1092mm　1/16
字　　數： 318千字
印　　張： 26.5
版　　次： 2019年3月第1版
印　　次： 2019年3月第1次印刷
ISBN 978－7－5714－0100－9/R・2586

定　　價：690.00元

《黄帝内經》版本通鑒·第一輯》編纂委員會

主　編　錢超塵

副主編　王育林　劉　陽

前言

中醫是超越時代、跨越國度、具有永恒魅力的中華民族文化瑰寶，是富有當代價值、保護人體健康的生命科學，它將伴隨中華民族而永生。中醫學核心經典《黄帝内經》，包括《素問》和《靈樞》，奠定中醫理論基礎，指導作用歷久彌新，是臨床家登堂入室的津梁，理論家取之不盡的寶藏，是研究中國傳統文化必讀之書。

讀書貴得善本。章太炎先生鍼對中醫讀書不注重善本的問題，指出：『近世治經籍者，皆以得真本爲亟，獨醫家爲藝事，學者往往不尋古始。』認爲這是不好的讀書習慣；又説：『信乎，稽古之士，宜得善本而讀之也！』閲讀《黄帝内經》，必須對它的成書源流、歷史沿革、當代版本存佚狀況有明確的認識，纔能選擇佳善版本，獲取真知。

《黄帝内經》某些篇段出於战國時期，至西漢整理成文，《漢書·藝文志》載有『《黄帝内經》十八卷』。西晋皇甫謐《鍼灸甲乙經》類編其書，序云：『《黄帝内經》十八卷，今《鍼經》九卷，《素問》九卷，即《内經》也。』説明《黄帝内經》一直分爲兩種相對獨立的書籍流傳，一種名《素問》，一種名《鍼經》。《鍼經》即《靈樞》的初名，在流傳過程中也稱《九卷》《九靈》《九墟》，東漢末張仲景、魏太醫令王叔和均引用過《九卷》之名。

《素問》的版本傳承相對明晰。南朝梁全元起作《素問訓解》存亡繼絶，唐初楊上善類編《太素》取之。唐中期乾元三年（七六〇）朝廷詔令《素問》作爲中醫考試教材。唐中期王冰以全元起本爲底本作注，收入『七篇大論』，改爲二十四卷八十一篇，爲《素問》的流行奠定基礎。北宋天聖五年（一〇二七）、景祐二年（一〇三五）兩次以全元起本爲底本雕版刊行。北宋嘉祐年間（一〇五六—一〇六三）校正醫書局林億、孫奇等以王冰注本爲底本，增校勘、訓詁、釋音，仍以二十四卷八十一篇刊行。此後《素問》單行本均以北宋嘉祐本爲原本，歷南宋（金）、元、明、清至今，形成多個版本系統。二十四卷本，以金刻本（存十三卷）、元讀書堂本、明顧從德覆宋本、明無名氏覆宋本、明周曰校本、明《醫統正脉》本爲代表；十二卷本，以元古林書堂本、明熊宗立本、明趙府居敬堂本、明吴悌本爲代表；五十卷本，即道藏本；此外還有明清注家九卷本、日本刻九卷本等。南宋、北宋及更早之本俱已不存。

《靈樞》在魏晋以後至北宋初期的傳承情況，因史料有缺而相對隱晦。唐初楊上善類編《太素》收入《九卷》。唐中期王冰注《素問》引文，始有『靈樞經』之稱。因存本不全，北宋校正醫書局未校《靈樞》。遲至元祐七年（一〇九二），高麗進獻《黄帝鍼經》，始獲全帙，於元祐八年（一〇九三）正月由北宋政府頒行。此後《靈樞》再次沉寂，至南宋紹興乙亥（一一五五），史崧刊出家藏《靈樞》，將原本九卷校正並增修音釋，勒成二十四卷。此本成爲此後所有傳本的祖本，流傳至今形成多個版本系統。其中二十四卷本，以明無名氏仿宋本、明周曰校本爲代表；十二卷本，以元古林書堂本、明熊宗立本、明趙府居敬堂本、明田經本、明吴悌本、明吴勉學本爲代表；二十三卷本，即道藏本；此外還有明詹林所二卷本、道藏《靈樞略》一卷本、日本刻九卷本等。

《素問》《靈樞》各有單行本之外，《黄帝内經》尚有類編本。西晋皇甫謐《鍼灸甲乙經》，將《素問》《九卷》《明堂孔穴鍼灸治要》三書類編，但編輯時『删其浮辭，除其重複』，故與《素問》《靈樞》對勘，《鍼灸甲乙經》文句每不全足。唐代楊上善《黄帝内經太素》三十卷，將《九卷》《素問》全文收入，不加删掇，詳加注釋。《黄帝内經太素》的文獻價值巨大，但南宋之後却沉寂無聞，直到清光緒中葉，學者楊守敬在日本發現仁和寺存有仁和三年（八八七，相當於唐光啓三年）舊鈔卷子本，存二十三卷，遂影寫攜歸，一時轟動醫林。嗣後日本國内相繼再發現佚文二卷有奇，至此《太素》現存二十五卷，堪稱《黄帝内經》版本史上的奇迹。

綜觀《黄帝内經》版本歷史，可謂一縷不絶，沉浮聚散；視其存亡現狀，又可謂同源異派，星分飄零。現存《黄帝内經》善本分散保存在國内外諸多藏書機構，此前囿於信息交流、印刷技術，從未有大規模集中最優秀版本出版的先例。當今電子信息技術發展日新月異，互聯網的普及使信息交流具有前所未有的廣泛性、時效性，乘此東風，《黄帝内經》現存的諸多優秀版本得以鳩聚刊印，爲中醫從業者及愛好者、傳統文化學者集中學習、研究提供便利。《〈黄帝内經〉版本通鑒》叢書，是首次對《黄帝内經》精善本的大規模集中解題、影印，目的是保存經典、傳承文明、繼往開來，爲振興中醫奠基，爲中華文化復興增添一份助力。

《〈黃帝内經〉版本通鑒·第一輯》，精選十二部經典版本，包含《素問》八部，《靈樞》二部，《黃帝内經太素》一部，《黃帝内經明堂》一部。列録如下。

①金刻本《素問》；②元古林書堂本《素問》；③元古林書堂本《靈樞》；④明熊宗立本《素問》；⑤明嘉靖無名氏覆宋刻本《素問》；⑥明嘉靖無名氏仿宋刻本《靈樞》；⑦明吴悌本《素問》；⑧明趙府居敬堂本《素問》；⑨明萬曆朝鮮内醫院活字本《素問》；⑩日本摹刻明顧從德本《素問》；⑪仁和寺本《黃帝内經太素》；⑫仁和寺本《黃帝内經明堂》。

這十二部經典版本，其特點如下。

（1）金刻本《素問》，是現存刊刻時代最早的版本，其年代相當於南宋時，版本價值極高。

（2）元古林書堂本《素問》《靈樞》各十二卷，刊刻時代僅次於金刻本，且所據底本爲孫奇家藏本，總體精善，此本已進入聯合國教科文組織《世界記憶亞太地區名録》。

（3）最新發現的『明嘉靖無名氏覆宋刻本《素問》』『明嘉靖無名氏仿宋刻本《靈樞》』各二十四卷合刊本，疑爲明嘉靖前期陸深所刻。此本《素問》各藏書機構多誤録作顧從德覆宋刻本，今考證得實，宇内尚存至少四部，擇品相優者影印推出，屬於史上首次。此本《靈樞》在一九九二年曾由日本經絡學會在版本不明的情况下影印出版，流傳稀少，今考證尚存世至少六部，兹擇品相佳者影印推出，在國内亦屬首次。

（4）《素問》《靈樞》合刊本兩種最具代表性：元古林書堂本是《素問》《靈樞》十二卷本之祖；明

嘉靖無名氏本是現存《靈樞》二十四卷本之祖，同刊《素問》是明周曰校本的底本。

（5）明代其餘四種《素問》均以元古林書堂本爲底本刊刻，而各有特色：熊宗立本爲明代最早，摹刻極工，添加句讀；吴悌本是罕見的去注解白文本；趙府居敬堂本品相上佳，是長期流傳廣泛的國内通行本之一；朝鮮内醫院活字本是現存最早《素問》活字本。

（6）日本摹刻明顧從德本《素問》屬『後出轉精』之作。此本爲日本安政三年（一八五六）由度會常珍所刻，所據底本爲澀江全善藏顧從德本，另據《黄帝内經太素》等校改誤字，澀江全善及森立之父子並參校讎。

（7）仁和寺本《黄帝内經太素》，屬類編《黄帝内經》最經典版本。原卷子抄寫時將楊上善撰注的《黄帝内經明堂類成》殘卷列首（因《黄帝内經太素》缺第一卷），今别析分刊。

本套叢書内的仁和寺本《黄帝内經太素》及《黄帝内經明堂》之底本由北京神黄科技股份有限公司總經理王和平先生免費提供，此義舉體現了王先生襄贊中華文化傳承事業的殷殷之念，在此謹致謝忱與敬意。

《〈黄帝内經〉版本通鑒》卷帙浩大，爲出版這套叢書，北京科學技術出版社章健總編、侍偉主任，以及編輯吴丹、吕艷、李兆弟等同仁以極高的使命感和責任心，付出了極大的心血和努力，克服了諸多困難，終成其功，謹此致以崇高敬意。相信這套叢書的推出，必不辜負同仁之望，在促進中醫藥事業發展、深化祖國傳統文化研究、增强國家文化軟實力等諸多方面做出應有的貢獻。

囿於執筆者眼界、學識，諸篇解題必有疏漏及訛誤之處，請方家、讀者不吝指正。

錢超塵

［説明：爲更準確地體現版本、訓詁學研究的學術内涵，撰寫時保留了部分異體字的使用，所選擇字樣如下：欬（欬嗽）、鍼（鍼灸）、並（並且）、併（合併）、嶽（山嶽）、異（異同）。］

目録

《黄帝内經》版本通鑒·第一輯

明吴悌本《素問》

解題 劉陽

解題

明嘉靖時期（一五二二——一五六六）在《黄帝内經》版本史上可稱顯赫，現存多種重要版本正在此時期刊行。其中，吴悌校刻《黄帝内經素問》十二卷（同刻《靈樞》十二卷），是少見的《素問》白文本，具有特殊價值。

此本《素問》校刻人署名明確，在卷一大題下，作『巡按直隸監察御史金溪吴悌校』。吴悌（一五〇二——一五六八），字思誠，號疏山，學者稱『疏山先生』，江西金溪（今江西金溪琅琚鎮疏口村）人。嘉靖十一年（一五三二）進士，授樂安知縣，嘉靖十四年（一五三五）授南直隸宣城縣令，嘉靖十六年（一五三七）十月召爲御史。嘉靖十七年（一五三八），吴悌爲應天府舉子求寬，坐下詔獄，出視兩淮鹽政。及嚴嵩擅政，吴悌惡之，引疾家居近二十年。嵩敗，起故官，纍遷至南京大理寺卿，與吴嶽、胡松、毛愷並稱『南都四君子』。隆慶元年（一五六七），遷刑部侍郎。次年卒，鄉人建祠，與陸九淵、吴澄、吴與弼、陳九川並祀，曰『五賢祠』。吏部尚書孫丕揚稱吴悌爲『理學名臣』，遂贈賜禮部尚書，謚文莊。撰有《吴疏山先生遺集》。

吴悌一生清正，活動區域都在南京附近，『巡按直隸監察御史』是其早年官職。明朝廢御史臺設都察院，通掌彈劾及建言，設左右都御史、左右副都御史、左右僉都御史，又設十三道監察御史一百一十人，爲正七品官，分區掌管監察，稱爲『巡按御史』。巡按御史任期一年，被稱爲『代天子巡狩』，大事奏裁，小事主斷，官位雖不高，但權勢頗重。『巡按直隸監察御史』屬十三道監察御史之一，乃有實權之官，非榮銜，一般而言，只有在職任期之内纔可以實銜自稱，遷官之後當稱新任官銜，若爲罷免者則應加『前』字。根據此綫索，查《吴疏山先生遺集》卷九年譜，上載：『嘉靖十七年（一五三八）戊戌，先生三十七歲。授廣西道監察御史……八月十七日，奉敕巡按直隸，專理兩淮鹽課，兼理河道御史。』按，此『直隸』應指南直隸，轄兩淮。次年己亥（一五三九），吴悌三十八歲，閏七月，山東大水，漂没通州、泰州民居，吴悌先以漕糧賑濟，後乃上疏報告。『冬，先生因勞致病，上《乞養病疏》。』此《乞養病疏》今存，云：『嘉靖十八年七月間巡至揚州府，感冒暑疾……自受病迄今三月，病日加劇……臣竊念巡歷一年已滿，差官更替在即。』可知嘉靖十八年十月，具任期已滿，但此時繼任者還未到任，暫未卸職。次年庚子（一五四〇），吴悌三十九歲，『三月，告病東歸。』故其『巡按直隸監察御史』一職，任期在嘉靖十七年（一五三八）八月至嘉靖十九年（一五四〇）三月間，歷時一年半左右，其校刻《黄帝内經》當在此時段内。

《善本書室藏書志》及《四庫全書總目》，載有多種『巡按直隸監察御史』參預校刻之書，涉及御史有游居敬、阮鶚、陳世寶、張雲路、徐圖等，皆在嘉靖時南直隸屬區，看來當時風氣如此。蓋南直隸環拱南都，所轄爲江南富庶之地，向爲國家經濟、文化重鎮，轄區所刊印重要書目，呈獻給時任巡按當地的監察御史審核，可能成爲慣例。監察御史一般都由進士充任，文化水平及眼光皆屬一流，加之職任所在，確乎可能盡心校審，刻印時署其姓名。若其中有尤爲重視文教者，亦可能先行選定書籍，精校後交由地方刻梓。所見此類書目以經、史、集類爲多，但《黄帝内經》爲子部醫家類，而爲吴悌所重，實屬罕見。

巧合的是，吴悌與游居敬在刻書一事上還有過交集。游居敬與吴悌同爲嘉靖十一年（一五三二）進士，但游氏被授『巡按直隸監察御史』在先，其時吴悌正在南直隸轄内任宣城縣令。《善本書室藏書志》卷二十四載：

韓文四十卷、外集十卷、集傳遺文二卷 明嘉靖合刊本

門人李漢編。明巡按直隸監察御史南平游居敬校。

前有李漢序，並巡按直隸監察御史、前翰林院庶吉士南平游居敬合刻韓柳文序云：『丙申冬，奉命按至寧國，咨於寧國黎守晨，洎宣城知縣吴悌，取蘇閩舊刻稍加參校，命工梓焉。司校刊者，教諭陳思誠，訓導陳嘉賓，襄成者教授鄭富，訓導何偉。時嘉靖丁酉八月。』

游居敬在『巡按直隸監察御史』任内刻書時曾咨詢於吴悌，時間在『丙申冬』，即嘉靖十五年（一五三六）底。吴悌在宣城有官聲，當地人稱『吴青天』，就在嘉靖十六年（一五三七）十月也被召入都察院，次年（一五三八）八月亦『奉敕巡按直隸』了。吴悌在任内，既面臨慣例，又有游居敬在前爲榜樣，校書刻書之事也就順理成章。

《素問》吴悌本，十二卷，各卷題名『黄帝内經素問』，宋臣序題名『校正黄帝内經素問表』，與别本不同。卷一大題次行有『巡按直隸監察御史金溪吴悌校』十三字。左右雙邊，半葉十一行，行二十一

字，雙行小字同。白口，單白魚尾，魚尾下刻『素問』二字。白文，無釋音，去王冰、宋臣注，僅保留少許文字校勘注。

查此本卷一第三葉下第四、五行，『使志若伏若匪當作匿』，元古林書堂本、元讀書堂本並作『使志若伏若匪今詳「匪」字當作「匿」』，顧從德本及明無名氏覆宋本並作『使志若伏若匿』，無注文。特徵字『匪』及注，與元古林書堂本、元讀書堂本同，但元讀書堂本爲二十四卷本，與吴悌本不合，故以此判斷吴悌本所據底本應是元古林書堂本，特删除小字注文，保留大字白文而已。

綜上，《素問》吴悌本，是明代名儒吴悌在嘉靖十七年（一五三八）八月至嘉靖十九年（一五四〇）三月間，任職『巡按直隸監察御史』時所校刻。刻書動機、始末不明，但明嘉靖時期履同職的官員有校刻書籍的慣例。此本以元古林書堂本爲底本，删去小字注文，保留大字白文，仍十二卷，改題爲『黄帝内經素問』刊行。

劉陽

明史藁列傳一百六十八卷吳悌字思誠金谿人嘉靖十一年進士除
樂安知縣調繁宣城徵授御史十六年應天府進試錄考官評語失書名
諸生答策多譏時政帝怒逮考官諭德江汝璧洗馬歐陽衢詔獄府
尹孫懋等下南京法司悌率十會試汝璧衢貶官懋等逮職悌爲兼子
求寬坐下詔獄尋得釋出視兩淮鹽政海溢没通泰民廬悌先發濟賑之
而後奏聞尋引疾歸還朝按河南伊王典楧驕橫憚悌遺書稱爲友悌
報曰殿下天子親藩非悌所敢友悌天子憲臣非殿下所得友王愈憚之
[illegible]言嚴嵩當國與悌鄉里嘗謁言袁見言新服宮袍競前譽之悌却
立不進言問故徐曰俟談少間當以政請言爲政宜父嵩擅政悌惡之
引疾家居垂二十年嵩敗起故官一歲中累遷至南京大理卿時吳
嶽胡松毛愷並以耆俊爲御史與悌稱南都四君子隆慶元年就
遷刑部侍郎明年卒悌爲守仁學託情修累成反躬自得爲多
嵩歷中子仁請卹吏部尚書孫丕揚曰悌理學名臣不宜循常格遂
■黃孔昭例贈禮部尚書謚文莊御人建祠于陸九淵吳澄與鄉陳
九川並祀曰五賢祠學者稱疏山先生

黄帝内經素問序

啓玄子王冰撰

夫釋縛脱艱全真導氣拯黎元於仁壽濟羸劣以獲安者非三聖道則不能致之矣孔安國序尚書曰伏羲神農黄帝之書謂之三墳言大道也班固漢書藝文志曰黄帝内經十八卷素問即其經之九卷也兼靈樞九卷迺其數焉雖復年移代革而授學猶存懼非其人而時有所隱故第七一卷師氏藏之今之奉行惟八卷爾然而其文簡其意博其理奥其趣深天地之象分陰陽之候列變化之由表死生之兆彰不

謀而遐邇自同勿約而幽明斯契稽其言有徵驗之
事不忒誠可謂至道之宗養生之始矣假若天機迅
發妙識玄通蔵謀雖屬乎生知標格亦資於詁訓未
嘗有行不由逕出不由戶者也然刻意研精探微索
隱或識契眞要則目牛無全故動則有成猶鬼神幽
贊而命世奇傑時時間出焉則周有秦公漢有淳于
公魏有張公華公皆得斯妙道者也咸日新其用太
濟蒸人華葉遞榮聲實相副蓋教之著矣亦天之假
也冰弱齡慕道夙好養生幸遇眞經式爲龜鏡而世
本紕繆篇目重疊前後不倫文義懸隔施行不易披

會亦難歲月既淹襲以成弊或一篇重出而別立二名或兩論併吞而都爲一目或問答未已別樹篇題或脫簡不書而云世闕重合經而冠鍼服併方宜而爲欬篇隔虛實而爲逆從合經絡而爲論要節皮部爲經絡退至道以先鍼諸如此流不可勝數且將升岱嶽非逕奚爲欲詣扶桑無舟莫適乃精勤博訪而并有其人歷十二年方臻理要詢謀得失深遂夙心時於先生郭子齋堂受得先師張公秘本文字昭晰義理環周一以參詳羣疑冰釋恐散於末學絕彼師資因而撰註用傳不朽兼舊藏之卷合八十一篇二

十四卷勒成一部冀乎究尾明首尋註會經開發童蒙宣揚至理而已其中簡脫文斷義不相接者搜求經論所有遷移以補其處篇目墜缺指事不明者量其意趣加字以昭其義篇論吞并義不相涉闕漏名目者區分事類別目以冠篇首君臣請問禮儀乖失者考校尊卑增益以光其意錯簡碎文前後重疊者詳其指趣削去繁雜以存其要辭理秘密難祖論述者別撰玄珠以陳其道凡所加字皆朱書其文使今古必分字不雜糅庶厥昭彰聖旨敷暢玄言有如列宿高懸奎張不亂深泉淨瀅鱗介咸分君臣無夭枉

之期爽夏有延齡之望俾工徒勿誤學者惟明至道流行徽音累屬千載之後方知大聖之慈惠無窮時

大唐寶應元年歲次壬寅序

將仕郎守殿中丞孫　兆　重改誤

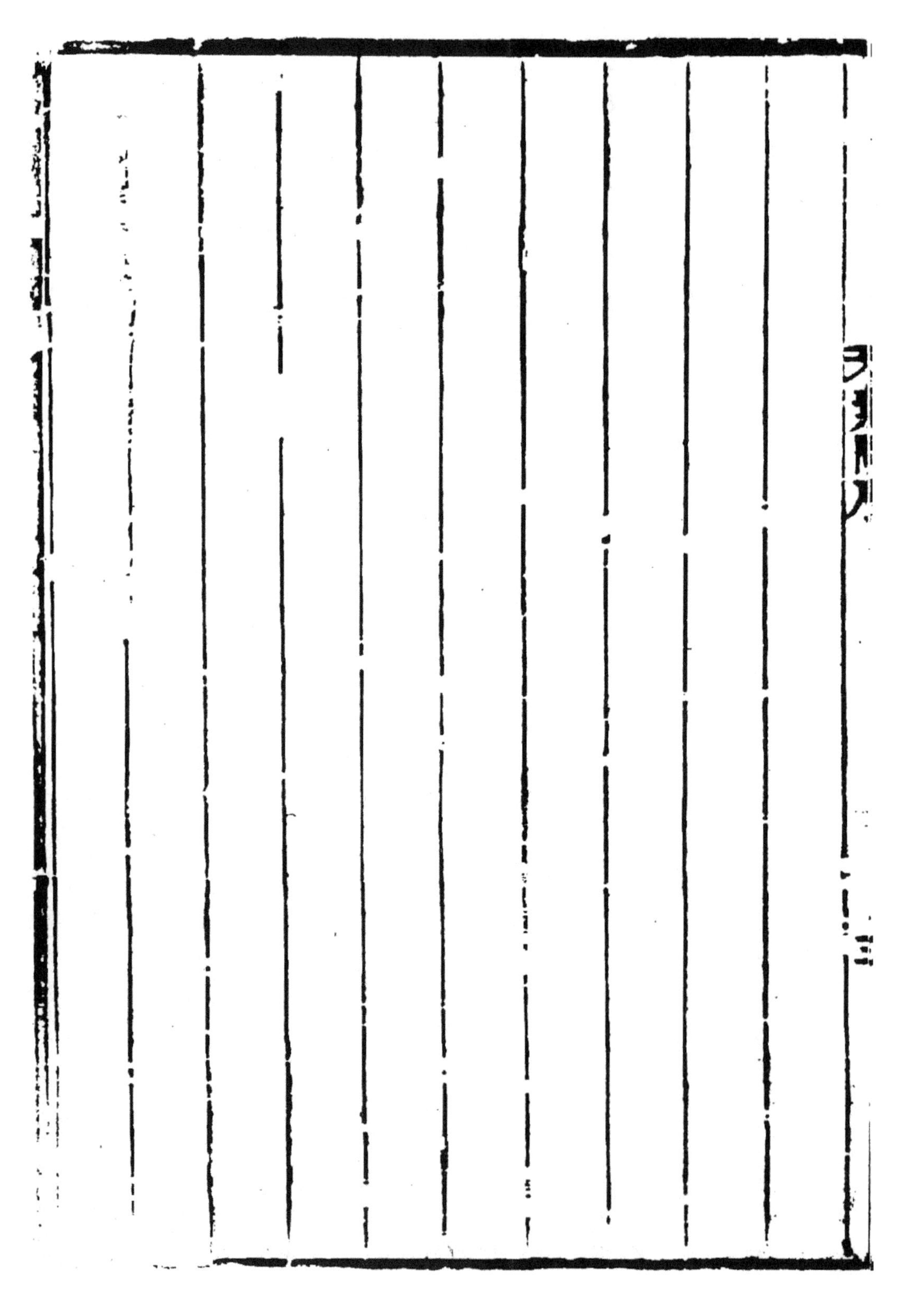

校正黃帝内經素問表

臣聞安不忘危存不忘亡者徃聖之先務求民之瘼恤民之隱者上主之深仁在昔黃帝之御極也以理身緒餘治天下坐於明堂之上臨觀八極考建五常以謂人之生也負陰而抱陽食味而被色外有寒暑之相盪内有喜怒之交侵夭昏札瘥國家代有將欲斂時五福以敷錫厥庶民乃與岐伯上窮天紀下極地理遠取諸物近取諸身更相問難垂法以福後世於是雷公之倫受業傳之而内經作矣歷代寶之未有失墜蒼周之興秦和述六氣之論具明於左史厥

後越人得其一二演而述難經西漢倉公傳其舊學東漢仲景撰其遺論晉皇甫謐次而爲甲乙及隋楊上善纂而爲大素時則有全元起者始爲之訓解闕第七一通迄唐寶應中太僕王冰篤好之得先師所藏之卷大爲次註猶是三皇遺文爛然可觀惜乎唐令列之醫學付之執技之流而薦紳先生罕言之去聖已遠其述晻昧是以文註紛錯義理混淆殊不知三墳之餘帝王之高致聖賢之能事唐堯之授四時虞舜之齊七政神禹脩六府以興帝功文王推六子以叙卦氣伊尹調五味以致君箕子陳五行以佐世

其致一也奈何以至精至微之道傳之以至下至淺之人其不廢絶爲已幸矣頃在嘉祐中仁宗念聖祖之遺事將墜于地廼詔通知其學者俾之是正臣等承乏典校伏念旬歲遂廼搜訪中外裒集衆本寖尋其義正其訛舛十得其三四餘不能具竊謂未足以稱明詔副聖意而又採漢唐書録古醫經之存於世者得數十家叙而考正焉貫穿錯綜磅礴會通或端本以尋支或泝流而討源定其可知次以舊目正繆誤者六千餘字增註義者二千餘條一言去取必有稽考舛文疑義於是詳明以之治身可以消患於未

兆施於有政可以廣生於無窮恭惟皇帝撫大同之運擁無疆之休述先志以奉成興微學而永正則和氣可召災害不生陶一世之民同躋于壽域矣國子博士臣高保衡光祿卿直秘閣臣林億等謹上

朝奉郎守國子博士同校正醫書上騎都尉賜緋魚袋高保衡

朝奉郎守尚書屯田郎中同校正醫書騎都尉賜緋魚袋孫奇

朝散大夫守光祿卿直秘閣判登聞檢院上護軍林億

黃帝內經素問目錄

卷之一

卷之二

卷之五

卷之六

卷之七

卷之八

黄帝内經素問目録終

黃帝内經素問卷之一

巡按直隷監察御史金谿吳悌校

上古天眞論篇第一

昔在黃帝生而神靈弱而能言幼而徇齊長而敦敏成而登天廼問於天師曰余聞上古之人春秋皆度百歲而動作不衰今時之人年半百而動作皆衰者時世異耶人將失之耶歧伯對曰上古之人其知道者法於陰陽和於術數食飲有節起居有常不妄作勞故能形與神俱而盡終其天年度百歲乃去今時之人不然也以酒爲漿以妄爲常醉以入房以欲竭其精以耗散其眞不知持滿不時御神務快其心逆於生樂起居無節故

半百而衰也夫上古聖人之教下也皆謂之虚邪賊風避之有時恬憺虚無眞氣從之精神内守病安從來是以志閑而少欲心安而不懼形勞而不倦氣從以順各從其欲皆得所願故美一作甘其食任其服樂其俗高下不相慕其民故曰一作日朴是以嗜欲不能勞其目淫邪不能惑其心愚智賢不肖不懼於物故合於道所以能年皆度百歲而動作不衰者以其德全不危也帝曰人年老而無子者材力盡邪將天數然也岐伯曰女子七歲腎氣盛齒更髮長二七而天癸至任脈通太衝脈盛月事以時下故有子三七腎氣平均故眞牙生而長極四七筋骨堅髮長極身體盛壯五七陽明脈衰面始焦

髮始墮六七三陽脈衰於上面皆焦髮始白七七任脈虛太衝脈衰少天癸竭地道不通故形壞而無子也丈夫八歲腎氣實髮長齒更二八腎氣盛天癸至精氣溢寫陰陽和故能有子三八腎氣平均筋骨勁強故真牙生而長極四八筋骨隆盛肌肉滿壯五八腎氣衰髮墮齒槁六八陽氣衰竭於上面焦髮鬢頒白七八肝氣衰筋不能動天癸竭精少腎藏衰形體皆極八八則齒髮去腎者主水受五藏六府之精而藏之故五藏盛乃能寫今五藏皆衰筋骨解墮天癸盡矣故髮鬢白身體重行步不正而無子耳帝曰有其年已老而有子者何也岐伯曰此其天壽過度氣脈常通而腎氣有餘也此雖

有子男不過盡八八女不過盡七七而天地之精氣皆竭矣帝曰夫道者年皆百數能有子乎岐伯曰夫道者能却老而全形身年雖壽能生子也黄帝曰余聞上古有真人者提挈天地把握陰陽呼吸精氣獨立守神肌肉若一故能壽敝天地無有終時此其道生中古之時有至人者淳德全道和於陰陽調於四時去世離俗積精全神游行天地之間視聽八遠之外此蓋益其壽命而強者也亦歸於真人其次有聖人者處天地之和從八風之理適嗜欲於世俗之間無恚嗔之心行不欲離於世被服章三字疑衍舉不欲觀於俗外不勞形於事內無思想之患以恬愉為務以自得為功形體不敝精神不

散亦可以百數其次有賢人者法則天地象似日月辯列星辰逆從陰陽分別四時將從上古合同於道亦可使益壽而有極時

四氣調神大論篇第二

春三月此謂發陳天地俱生萬物以榮夜卧早起廣步於庭被髮緩形以使志生生而勿殺予而勿奪賞而勿罰此春氣之應養生之道也逆之則傷肝夏爲寒變奉長者少夏三月此謂蕃秀天地氣交萬物華實夜卧早起無厭於日使志無怒使華英成秀使氣得泄若所愛在外此天氣之應養長之道也逆之則傷心秋爲痎瘧奉收者少冬至重病秋三月此謂容平天氣以急地氣

以明早臥早起與雞俱興使志安寧以緩秋刑收斂神
氣使秋氣平無外其志使肺氣清此秋氣之應養收之
道也逆之則傷肺冬爲飧泄奉藏者少冬三月此謂閉
藏水冰地坼無擾乎陽早臥晚起必待日光使志若伏
若匿匿當作暱若有私意若已有得去寒就温無泄皮膚使
氣亟奪此冬氣之應養藏之道也逆之則傷腎春爲痿
厥奉生者少天氣清靜光明者也藏德不止止一作上故不
下也天明則日月不明邪害空竅陽氣者閉塞地氣者
冒明雲霧不精則上應白露不下交通不表萬物命故
不施不施則名木多死惡氣不發風雨不節白露不下
則菀槀不榮賊風數至暴雨數起天地四時不相保與

道相失則未央絶滅唯聖人從之故身無奇病萬物不
失生氣不竭逆春氣則少陽不生肝氣內變逆夏氣則
太陽不長心氣內洞逆秋氣則太陰不收肺氣焦滿逆
冬氣則少陰不藏腎氣獨沉夫四時陰陽者萬物之根
本也所以聖人春夏養陽秋冬養陰以從其根故與萬
物沉浮於生長之門逆其根則伐其本壞其眞矣故陰
陽四時者萬物之終始也死生之本也逆之則災害生
從之則苛疾不起是謂得道道者聖人行之愚者佩之
從陰陽則生逆之則死從之則治逆之則亂反順爲逆
是謂內格是故聖人不治已病治未病不治已亂治未
亂此之謂也夫病已成而後藥之亂已成而後治之譬

猶渴而穿井鬭而鑄兵不亦晚乎

主氣通天論篇第三

黃帝曰夫自古通天者生之本本於陰陽天地之間六合之內其氣九州九竅五藏十二節皆通乎天氣其生五其氣三數犯此者則邪氣傷人此壽命之本也蒼天之氣清淨則志意治順之則陽氣固雖有賊邪弗能害也此因時之序故聖人傳精神服天氣而通神明失之則內閉九竅外壅肌肉衛氣散解此謂自傷氣之削也陽氣者若天與日失其所則折壽而不彰故天運當以日光明是故陽因而上衛外者也因於寒欲如運樞起居如驚神氣乃浮因於暑汗煩則喘喝靜則多言體若

燔炭汗出而散因於濕首如裹濕熱不攘大筋緛短小
筋弛長緛短爲拘弛長爲痿因於氣爲腫四維相代陽
氣乃竭陽氣者煩勞則張精絶辟積於夏使人煎厥目
盲（音虻）不可以視耳閉不可以聽潰潰乎若壞都汨汨乎
不可止陽氣者大怒則形氣絶而血菀（音苑）於上使人薄
厥有傷於筋縱其若不容汗出偏沮使人偏枯汗出見
濕乃生痤疿高粱之變足生大丁受如持虛勞汗當風
寒薄爲皶鬱乃痤陽氣者精則養神柔則養筋開闔不
得寒氣從之乃生大僂陷脈爲瘻留連肉腠俞（音庶後同）氣
化薄傳爲善畏及爲驚駭營氣不從逆於肉理乃生癰
腫魄汗未盡形弱而氣爍穴俞以閉發爲風瘧故風者

百病之始也清静則肉腠閉拒雖大風苛毒弗之能害
此因時之序也故病久則傳化上下不并良醫弗爲故
陽畜積病死而陽氣當隔隔者當寫不亟正治粗乃敗
之故陽氣者一日而主外平旦人氣生日中而陽氣隆
日西而陽氣已虚氣門乃閉是故暮而收拒無擾筋骨
無見霧露反此三時形乃困薄岐伯曰陰者藏精而起
亟也陽者衛外而爲固也陰不勝其陽則脉流薄疾并
乃狂陽不勝其陰則五藏氣爭九竅不通是以聖人陳
陰陽筋脉和同骨髓堅固氣血皆從如是則内外調和
邪不能害耳目聰明氣立如故風客淫氣精乃亡邪傷
肝也因而飽食筋脉横解腸澼爲痔因而大飲則氣逆

因而強力腎氣乃傷高骨乃壞凡陰陽之要陽密乃固兩者不和若春無秋若冬無夏因而和之是謂聖度故陽強不能密陰氣乃絶陰平陽祕精神乃治陰陽離決精氣乃絶因於露風乃生寒熱是以春傷於風邪氣留連乃爲洞泄夏傷於暑秋爲痎瘧秋傷於濕上逆而欬發爲痿厥冬傷於寒春必温病四時之氣更傷五藏陰之所生本在五味陰之五宮傷在五味是故味過於酸肝氣以津脾氣乃絶味過於鹹大骨氣勞短肌心氣抑味過於甘心氣喘滿色黑腎氣不衡味過於苦脾氣不濡胃氣乃厚味過於辛筋脉沮弛精神乃央是故謹和五味骨正筋柔氣血以流腠理以密如是則氣骨以精

謹道如法長有天命

金匱眞言論篇第四

黃帝問曰天有八風經有五風何謂岐伯對曰八風發邪以爲經風觸五藏邪氣發病所謂得四時之勝者春勝長夏長夏勝冬冬勝夏夏勝秋秋勝春所謂四時之勝也東風生於春病在肝俞在頸項南風生於夏病在心俞在胷脇西風生於秋病在肺俞在肩背北風生於冬冬病在腎俞在腰股中央爲土病在脾俞在脊故春氣者病在頭夏氣者病在藏秋氣者病在肩背冬氣者病在四支故春善病鼽(音求 鼻塞)衄仲夏善病胷脇長夏善病洞泄寒中秋善病風瘧冬冬善病痹厥故冬冬不按蹻春春不

鼽衄春不病頸項仲夏不病胷脇長夏不病洞泄寒中秋不病風瘧冬不病痺厥飧泄而汗出也夫精者身之本也故藏於精者春不病温夏暑汗不出者秋成風瘧此平人脉法也故曰陰中有陰陽中有陽平旦至日中天之陽陽中之陽也日中至黄昏天之陽陽中之陰也合夜至雞鳴天之陰陰中之陰也雞鳴至平旦天之陰陰中之陽也故人亦應之夫言人之陰陽則外爲陽内爲陰言人身之陰陽則背爲陽腹爲陰言人身之藏府中陰陽則藏者爲陰府者爲陽肝心脾肺腎五藏皆爲陰膽胃大腸小腸膀胱三焦六府皆爲陽所以欲知陰中之陰陽中之陽者何也爲冬病在陰夏病在陽春病

在陰秋病在陽皆視其所在爲施鍼石也故背爲陽陽
中之陽心也背爲陽陽中之陰肺也腹爲陰陰中之陰
腎也腹爲陰陰中之陽肝也腹爲陰陰中之至陰脾也
此皆陰陽表裏內外雌雄相輸應也故以應天之陰陽
也帝曰五藏應四時各有收受乎岐伯曰有東方青色
入通於肝開竅於目藏精於肝其病發驚駭其味酸其
類草木其畜雞其穀麥其應四時上爲歲星是以春氣
在頭也其音角其數八是以知病之在筋也其臭臊南
方赤色入通於心開竅於耳藏精於心故病在五藏其
味苦其類火其畜羊其穀黍其應四時上爲熒惑星是
以知病之在脉也其音徵其數七其臭焦中央黃色入

通於脾開竅於口藏精於脾故病在舌本其味甘其類土其畜牛其穀稷其應四時上爲鎮星是以知病之在肉也其音宮其類五其臭香西方白色入通於肺開竅於鼻藏精於肺故病在背其味辛其類金其畜馬其穀稻其應四時上爲太白星是以知病之在皮毛也其音商其類九其臭腥北方黑色入通於腎開竅於二陰藏精於腎故病在谿其味鹹其類水其畜彘其穀豆其應四時上爲辰星是以知病之在骨也其音羽其數六其臭腐故善爲脉者謹察五藏六府一逆一從陰陽表裏雌雄之紀藏之心意合心於精非其人勿教非其眞勿授是謂得道

隂陽應象大論篇第五

黃帝曰隂陽者天地之道也萬物之綱紀變化之父母生殺之本始神明之府也治病必求於本故積陽爲天積隂爲地陽生隂長陽殺隂藏陽化氣隂成形寒極生熱熱極生寒寒氣生濁熱氣生清清氣在下則生飧泄濁氣在上則生䐜脹此隂陽反作病之逆從也故清陽爲天濁隂爲地地氣上爲雲天氣下爲雨雨出地氣雲出天氣故清陽出上竅濁隂出下竅清陽發腠理濁隂走五藏清陽實四支濁隂歸六府水爲隂火爲陽陽爲氣隂爲味味歸形形歸氣氣歸精精歸化精食氣形食味化生精氣生形味傷形氣傷精精化爲氣氣傷於味

陰味出下竅陽氣出上竅味厚者爲陰薄爲陰之陽氣厚者爲陽薄爲陽之陰味厚則泄薄則通氣薄則發泄厚則發熱壯火之氣衰少火之氣壯壯火食氣氣食少火壯火散氣少火生氣氣味辛甘發散爲陽酸苦涌泄爲陰陰勝則陽病陽勝則陰病陽勝則熱陰勝則寒重寒則熱重熱則寒寒傷形熱傷氣氣傷痛形傷腫故先痛而後腫者氣傷形也先腫而後痛者形傷氣也風勝則動熱勝則腫燥勝則乾寒勝則浮濕勝則濡寫天有四時五行以長生收藏以生寒暑燥濕風人有五藏化五氣以生喜怒悲憂恐故喜怒傷氣寒暑傷形暴怒傷陰暴喜傷陽厥氣上行滿脉去形喜怒不節寒暑過度生

乃不固故重陰必陽重陽必陰故曰冬傷於寒春必病
温春傷於風夏生飧泄夏傷於暑秋必痎瘧秋傷於濕
冬生欬嗽帝曰余聞上古聖人論理人形列别藏府端
絡經脉會通六合各從其經氣穴所發各有處名谿谷
屬骨皆有所起分部逆從各有條理四時陰陽盡有經
紀外内之應皆有表裏其信然乎岐伯對曰東方生風
風生木木生酸酸生肝肝生筋筋生心肝生目其在天
爲玄在人爲道在地爲化化生五味道生智玄生神神
在天爲風在地爲木在體爲筋在藏爲肝在色爲蒼在
音爲角在聲爲呼在變動爲握在竅爲目在味爲酸在
志爲怒怒傷肝悲勝怒風傷筋燥勝風酸傷筋辛勝酸

南方生熱熱生火火生苦苦生心心生血血生脾心主舌其在天爲熱在地爲火在體爲脉在藏爲心在色爲赤在音爲徵在聲爲笑在變動爲憂在竅爲舌在味爲苦在志爲喜喜傷心恐勝喜熱傷氣寒勝熱苦傷氣鹹勝苦中央生濕濕生土土生甘甘生脾脾生肉肉生肺脾主口其在天爲濕在地爲土在體爲肉在藏爲脾在色爲黄在音爲宫在聲爲歌在變動爲噦在竅爲口在味爲甘在志爲思思傷脾怒勝思濕傷肉風勝濕甘傷肉酸勝甘西方生燥燥生金金生辛辛生肺肺生皮毛皮毛生腎肺主鼻其在天爲燥在地爲金在體爲皮毛在藏爲肺在色爲白在音爲商在聲爲哭在變動爲欬在竅

爲鼻在味爲辛在志爲憂憂傷肺喜勝憂熱傷皮毛寒勝熱辛傷皮毛苦勝辛北方生寒寒生水水生鹹鹹生腎腎生骨髓髓生肝腎主耳其在天爲寒在地爲水在體爲骨在藏爲腎在色爲黑在音爲羽在聲爲呻在變動爲慄在竅爲耳在味爲鹹在志爲恐恐傷腎思勝恐寒傷血燥勝寒鹹傷血甘勝鹹故曰天地者萬物之上下也陰陽者血氣之男女也左右者陰陽之道路也水火者陰陽之徵兆也陰陽者萬物之能始也故曰陰在内陽之守也陽在外陰之使也帝曰法陰陽柰何岐伯曰陽勝則身熱腠理閉喘麤爲之俛仰汗不出而熱齒乾以煩冤腹滿死能冬不能夏陰勝則身寒汗出身常

清數慄而寒寒則厥厥則腹滿死能夏不能冬此陰陽更勝之變病之形能也帝曰調此二者柰何岐伯曰能知七損八益則二者可調不知用此則早衰之節也年四十而陰氣自半也起居衰矣年五十體重耳目不聰明矣年六十陰痿氣大衰九竅不利下虛上實涕泣俱出矣故曰知之則強不知則老故同出而名異耳智者察同愚者察異愚者不足智者有餘有餘則耳目聰明身體輕強老者復壯壯者益治是以聖人爲無爲之事樂恬惔之能從欲快志於虛無之守故壽命無窮與天地終此聖人之治身也天不足西北故西北方陰也而人右耳目不如左明也地不滿東南故東南方陽也而

人左手足不如右強也帝曰何以然岐伯曰東方陽也陽者其精并於上并於上則上明而下虛故使耳目聰明而手足不便也西方陰也陰者其精并於下并於下則下盛而上虛故其耳目不聰明而手足便也故俱感於邪其在上則右甚在下則左甚此天地陰陽所不能全也故邪居之故天有精地有形天有八紀地有五里故能爲萬物之父母清陽上天濁陰歸地是故天地之動靜神明爲之綱紀故能以生長收藏終而復始惟賢人上配天以養頭下象地以養足中傍人事以養五藏天氣通於肺地氣通於嗌風氣通於肝雷氣通於心谷氣通於脾雨氣通於腎六經爲川腸胃爲海九竅爲水

注之氣以天地爲之陰陽陽之汗以天地之雨名之陽
之氣以天地之疾風名之暴風象雷逆氣象陽故治不
法天之紀不用地之理則災害至矣故邪風之至疾如
風雨故善治者治皮毛其次治肌膚其次治筋脉其次
治六府其次治五藏治五藏者半死半生也故天之邪
氣感則害人五藏水穀之寒熱感則害於六府地之濕
氣感則害皮肉筋脉故善用鍼者從陰引陽從陽引陰
以右治左以左治右以我知彼以表知裏以觀過與不
及之理見微則過用之不殆善診者察色按脉先別陰
陽審清濁而知部分視喘息聽音聲而知所苦觀權衡
規矩而知病所主按尺寸觀浮沈滑濇而知病所生以

治無過以診則不失矣故曰病之始起也可刺而已其盛可待衰而已故因其輕而揚之因其重而減之因其衰而彰之形不足者溫之以氣精不足者補之以味其高者因而越之其下者引而竭之中滿者寫之於内其有邪者漬形以爲汗其在皮者汗而發之其慓悍者按而收之其實者散而寫之審其陰陽以別柔剛陽病治陰陰病治陽定其血氣各守其鄉血實宜決之氣虛宜掣一作導又作掣引之

陰陽離合論篇第六

黃帝問曰余聞天爲陽地爲陰日爲陽月爲陰大小月三百六十日成一歲人亦應之今三陰三陽不應陰陽

其故何也岐伯對曰陰陽者數之可十推之可百數之可千推之可萬萬之大不可勝數然其要一也天覆地載萬物方生未出地者命曰陰處名曰陰中之陰則出地者命曰陰中之陽陽予之正陰爲之主故生因春長因夏收因秋藏因冬失常則天地四塞陰陽之變其在人者亦數之可數帝曰願聞三陰三陽之離合也岐伯曰聖人南面而立前曰廣明後曰大衝大衝之地名曰少陰少陰之上名曰太陽太陽根起於至陰結於命門名曰陰中之陽中身而上名曰廣明廣明之下名曰太陰太陰之前名曰陽明陽明根起於厲兌名曰陰中之陽厥陰之表名曰少陽少陽根起於竅陰名曰陰中之

少陽是故三陽之離合也太陽爲開陽明爲闔少陽爲樞三經者不得相失也搏而勿浮命曰一陽帝曰願聞三陰岐伯曰外者爲陽内者爲陰然則中爲陰其衝在下名曰太陰太陰根起於隱白名曰陰中之陰太陰之後名曰少陰少陰根起於涌泉名曰陰中之少陰少陰之前名曰厥陰厥陰根起於大敦陰之絶陽名曰陰之絶陰是故三陰之離合也太陰爲開厥陰爲闔少陰爲樞三經者不得相失也搏而勿沉名曰一陰陰陽衝䡴積傳爲一周氣裏形表而爲相成也

陰陽别論篇第七

黄帝問曰人有四經十二從何謂岐伯對曰經應四時

十二從應十二月十二月應十二脉脉有陰陽知陽者
知陰知陰者知陽凡陽有五五五二十五陽所謂陰者
眞藏也見則爲敗敗必死也所謂陽者胃脘之陽也別
於陽者知病處也別於陰者知死生之期三陽在頭三
陰在手所謂一也別於陽者知病忌時別於陰者知死
生之期謹熟陰陽無與衆謀所謂陰陽者去者爲陰至
者爲陽靜者爲陰動者爲陽遲者爲陰數者爲陽凡持
眞脉之藏脉者肝至懸絶急十八日死心至懸絶九日
死肺至懸絶十二日死腎至懸絶七日死脾至懸絶四
日死曰二陽之病發心脾有不得隱曲女子不月其傳
爲風消其傳爲息賁者死不治曰三陽爲病發寒熱下

爲癰腫及爲痿厥腨痟其傳爲索澤其傳爲癩疝曰一陽發病少氣善欬善泄其傳爲心掣其傳爲膈二陽一陰發病主驚駭背痛善噫善欠名曰風厥二陰一陽發病善脹心滿善氣三陽三陰發病爲偏枯痿易四支不舉鼓一陽曰鈎鼓一陰曰毛鼓陽勝急曰弦鼓陽至而絶曰石陰陽相過曰溜陰爭於内陽擾於外魄汗未藏四逆而起起則熏肺使人喘鳴陰之所生和本曰和是故剛與剛陽氣破散陰氣乃消亡淖音鬧則剛柔不和經氣乃絶死陰之屬不過三日而死生陽之屬不過四日而死一本作生所謂生陽死陰者肝之心謂之生陽心之肺謂之死陰肺之腎謂之重陰腎之脾謂之辟陰死不治

結陽者腫四支結陰者便血一升再結二升三結三升陰陽結斜多陰少陽曰石水少腹腫二陽結謂之消三陽結謂之膈三陰結謂之水一陰一陽結謂之喉痺陰搏陽別謂之有子陰陽虛腸辟死陽加於陰謂之汗陰虛陽搏謂之崩三陰俱搏二十日夜半死二陰俱搏十三日夕時死一陰俱搏十日平旦死三陽俱搏且鼓三日死三陰三陽俱搏心腹滿發盡不得隱曲五日死二陰俱搏其氣濫死不治不過十日死

黃帝内經素問卷之一

黃帝內經素問卷之三

靈蘭秘典論篇第八

黃帝問曰願聞十二藏之相使貴賤何如岐伯對曰悉乎哉問也請遂言之心者君主之官也神明出焉肺者相傅之官治節出焉肝者將軍之官謀慮出焉膽者中正之官決斷出焉膻中者臣使之官喜樂出焉脾胃者倉廩之官五味出焉大腸者傳道之官變化出焉小腸者受盛之官化物出焉腎者作強之官伎巧出焉三焦者決瀆之官水道出焉膀胱者州都之官津液藏焉氣化則能出矣凡此十二官者不得相失也故主明則下安以此養生則壽歿世不殆以為天下則大昌主不明

則十二官危使道閉塞而不通形乃大傷以此養生則殃以爲天下者其宗大危戒之戒之至道在微變化無窮孰知其原窘乎哉消者瞿瞿孰知其要閔閔之當孰者爲良恍惚之數生於毫氂毫氂之數起於度量千之萬之可以益大推之大之其形乃制黃帝曰善哉余聞精光之道大聖之業而宣明大道非齋戒擇吉日不敢受也黃帝乃擇吉日良兆而藏靈蘭之室以傳保焉

六節藏象論篇第九

黃帝問曰余聞天以六六之節以成一歲人以九九制會計人亦有三百六十五節以爲天地久矣不知其所謂也歧伯對曰昭乎哉問也請遂言之夫六六之節九

制會者所以正天之度氣之數也天度者所以制日月之行也氣數者所以紀化生之用也天爲陽地爲陰日爲陽月爲陰行有分紀周有道理日行一度月行十三度而有奇焉故大小月三百六十五日而成歲積氣餘而盈閏矣立端於始表正於中推餘於終而天度畢矣帝曰余已聞天度矣願聞氣數何以合之岐伯曰天以六六爲節地以九九制會天有十日日六竟而周甲甲六復而終歲三百六十日法也夫自古通天者生之本本於陰陽其氣九州九竅皆通乎天氣故其生五其氣三三而成天三而成地三而成人三而三之合則爲九九分爲九野九野爲九藏故形藏四神藏五合爲九藏

以應之也帝曰余已聞六六九九之會也夫子言積氣盈閏願聞何謂氣請夫子發蒙解惑焉岐伯曰此上帝所秘先師傳之也帝曰請遂聞之岐伯曰五日謂之候三候謂之氣六氣謂之時四時謂之歲而各從其主治焉五運相襲而皆治之終朞之日周而復始時立氣布如環無端候亦同法故曰不知年之所加氣之盛衰虛實之所起不可以為工矣帝曰五運之始如環無端其大過不及何如岐伯曰五氣更立各有所勝盛虛之變此其常也帝曰平氣何如岐伯曰無過者也帝曰大過不及柰何岐伯曰在經有也帝曰何謂所勝岐伯曰春勝長夏長夏勝冬冬勝夏夏勝秋秋勝春所謂得五行

時之勝各以氣命其藏帝曰何以知其勝岐伯曰求其至也皆歸始春未至而至此謂太過則薄所不勝而乘所勝也命曰氣淫不分邪僻內生工不能禁至而不至此謂不及則所勝妄行而所生受病所不勝薄之也命曰氣迫所謂求其至者氣至之時也謹候其時氣可與期失時反候五治不分邪僻內生工不能禁也帝曰有不襲乎岐伯曰蒼天之氣不得無常也氣之不襲是謂非常非常則變矣帝曰非常而變柰何岐伯曰變至則病所勝則微所不勝則甚因而重感於邪則死矣故非其時則微當其時則甚也帝曰善余聞氣合而有形因變以正名天地之運陰陽之化其於萬物孰少孰多可

得聞乎岐伯曰悉乎哉問也天至廣不可度地至大不
可量大神靈問請陳其方草生五色五色之變不可勝
視草生五味五味之美不可勝極嗜欲不同各有所通
天食人以五氣地食人以五味五氣入鼻藏於心肺上
使五色脩明音聲能彰五味入口藏於腸胃味有所藏
以養五氣氣和而生津液相成神乃自生帝曰藏象何
如岐伯曰心者聖之本神之變也其華在面其充在血
脉爲陽中之太陽通於夏氣肺者氣之本魄之處也其
華在毛其充在皮爲陽中之太陰通於秋氣腎者主蟄
封藏之本精之處也其華在髮其充在骨爲陰中之少
陰通於冬氣肝者罷極之本魂之居也其華在爪其充

在筋以生血氣其味酸其色蒼此為陽中之少陽通於春氣脾胃大腸小腸三焦膀胱者倉廩之本營之居也名曰器能化糟粕轉味而入出者也其華在脣四白其充在肌其味甘其色黃此至陰之類通於土氣凡十一藏取決於膽也故人迎一盛病在少陽二盛病在太陽三盛病在陽明四盛已上為格陽寸口一盛病在厥陰二盛病在少陰三盛病在太陰四盛已上為關陰人迎與寸口俱盛四倍已上為關格關格之脈羸羸一作不能極於天地之精氣則死矣

五藏生成篇第十

心之合脈也其榮色也其主腎也肺之合皮也其榮毛

也其主心也肝之合筋也其榮爪也其主肺也脾之合
肉也其榮脣也其主肝也腎之合骨也其榮髮也其主
脾也是故多食鹹則脉凝泣而變色多食苦則皮槁而
毛拔多食辛則筋急而爪枯多食酸則肉胝䐢而脣揭
多食甘則骨痛而髮落此五味之所傷也故心欲苦肺
欲辛肝欲酸脾欲甘腎欲鹹此五味之所合也五藏之
氣故色見青如草茲者死黄如枳實者死黑如炲者死
赤如衃血者死白如枯骨者死此五色之見死也青如
翠羽者生赤如雞冠者生黄如蟹腹者生白如豕膏者
生黑如烏羽者生此五色之見生也生於心如以縞裹
朱生於肺如以縞裹紅生於肝如以縞裹紺生於脾如

以縞裹栝樓實生於腎如以縞裹紫此五藏所生之外榮也色味當五藏白當肺辛赤當心苦青當肝酸黃當脾甘黑當腎鹹故白當皮赤當脉青當筋黃當肉黑當骨諸脉者皆屬於目諸髓者皆屬於腦諸筋者皆屬於節諸血者皆屬於心諸氣者皆屬於肺此四支八谿之朝夕也故人卧血歸於肝肝受血而能視足受血而能步掌受血而能握指受血而能攝卧出而風吹之血凝於膚者爲痺凝於脉者爲泣凝於足者爲厥此三者血行而不得反其空故爲痺厥也人有大谷十二分小谿三百五十四名少十二俞此皆衛氣之所留止邪氣之所客也鍼石緣而去之診病之始五決爲紀欲知其始

先建其母所謂五決者五脉也是以頭痛巔疾下虛上實過在足少陰巨陽甚則入腎徇蒙招尤目冥耳聾下實上虛過在足少陽厥陰甚則入肝腹滿䐜脹支鬲胠脇下厥上冒過在足太陰陽明欬嗽上氣厥在胷中過在手陽明太陰心煩頭痛病在鬲中過在手巨陽少陰夫脉之小大滑濇浮沈可以指別五藏之象可以類推五藏相音可以意識五色微診可以目察能合脉色可以萬全赤脉之至也喘而堅診曰有積氣在中時害於食名曰心痹得之外疾思慮而心虛故邪從之白脉之至也喘而浮上虛下實驚有積氣在胷中喘而虛名曰肺痹寒熱得之醉而使內也青脉之至也長而左右彈

有積氣在心下支胠名曰肝痹得之寒濕與疝同法腰痛足清頭脉緊黄脉之至也大而虚有積氣在腹中有厥氣名曰厥疝女子同法得之疾使四支汗出當風黒脉之至也上堅而大有積氣在小腹與陰名曰腎痹得之沐浴清水而卧凡相五色之奇脉面黄目青面黄目赤面黄目白面黄目黒者皆不死也面青目青面赤目白面青目黒面黒目白面赤目青皆死也

五藏別論篇第十一

黄帝問曰余聞方士或以腦髓爲藏或以腸胃爲藏或以爲府敢問更相反皆自謂是不知其道願聞其説岐伯對曰腦髓骨脉膽女子胞此六者地氣之所生也皆

藏於陰而象於地故藏而不寫名曰奇恒之府夫胃大腸小腸三焦膀胱此五者天氣之所生也其氣象天故寫而不藏此受五藏濁氣名曰傳化之府此不能久留輸寫者也魄門亦爲五藏使水穀不得久藏所謂五藏者藏精氣而不寫也故滿而不能實六府者傳化物而不藏故實而不能滿也所以然者水穀入口則胃實而腸虛食下則腸實而胃虛故曰實而不滿滿而不實也

帝曰氣口何以獨爲五藏主歧伯曰胃者水穀之海六府之大源也五味入口藏於胃以養五藏氣氣口亦太陰也是以五藏六府之氣味皆出於胃變見於氣口故五氣入鼻藏於心肺心肺有病而鼻爲之不利也凡治

病必察其下適其脉觀其志意與其病也拘於鬼神者不可與言至德惡於鍼石者不可與言至巧病不許治者病必不治治之無功矣

異法方宜論篇第十二

黄帝問曰醫之治病也一病而治各不同皆愈何也岐伯對曰地勢使然也故東方之域天地之所始生也魚鹽之地海濱傍水其民食魚而嗜鹹皆安其處美其食魚者使人熱中鹽者勝血故其民皆黑色踈理其病皆爲癰瘍其治宜砭石故砭石者亦從東方來西方者金玉之域沙石之處天地之所收引也其民陵居而多風水土剛強其民不衣而褐薦其民華食而脂肥故邪不

能傷其形體其病生於内其治宜毒藥故毒藥者亦從
西方來北方者天地所閉藏之域也其地高陵居風寒
氷列其民樂野處而乳食藏寒生滿病其治宜灸焫故
灸焫者亦從北方來南方者天地所長養陽之所盛處
也其地下水土弱霧露之所聚也其民嗜酸而食胕故
其民皆緻理而赤色其病攣痺其治宜微鍼故九鍼者
亦從南方來中央者其地平以濕天地所以生萬物也
衆其民食雜而不勞故其病多痿厥寒熱其治宜導引
按蹻故導引按蹻者亦從中央出也故聖人雜合以治
各得其所宜故治所以異而病皆愈者得病之情知治
之大體也

移精變氣論篇第十三

黄帝問曰余聞古之治病惟其移精變氣可祝由而已今世治病毒藥治其內鍼石治其外或愈或不愈何也岐伯對曰往古人居禽獸之間動作以避寒陰居以避暑內無眷慕之累外無伸一作臾宦之形此恬憺之世邪不能深入也故毒藥不能治其內鍼石不能治其外故可移精祝由而已今之世不然憂患緣其內苦形傷其外又失四時之從逆寒暑之宜賊風數至虛邪朝夕內至五藏骨髓外傷空竅肌膚所以小病必甚大病必死故祝由不能已也帝曰善余欲臨病人觀死生決嫌疑欲知其要如日月光可得聞乎岐伯曰色脉者上帝之

所貴也先師之所傳也上古使僦貸季理色脉而通神明合之金木水火土四時八風六合不離其常變化相移以觀其妙以知其要欲知其要則色脉是矣色以應日脉以應月常求其要則其要也夫色之變化以應四時之脉此上帝之所貴以合於神明也所以遠死近生生道以長命曰聖王中古之治病至而治之湯液十日以去八風五痺之病十日不已治以草蘇草荄之枝本末爲助標本已得邪氣乃服暮世之治病也則不然治不本四時不知日月不審逆從病形已成乃欲微鍼治其外湯液治其内粗工兇兇以爲可攻故病未已新病復起帝曰願聞要道岐伯曰治之要極無失色脉用之

不惑治之大則逆從倒行標本不得亡神失國去故就新乃得眞人帝曰余聞其要於夫子矣夫子言不離色脉此余之所知也岐伯曰治之極於一帝曰何謂一岐伯曰一者因得之帝曰柰何岐伯曰閉戶塞牖繫之病者數問其情以從其意得神者昌失神者亡帝曰善

湯液醪醴論篇第十四

黄帝問曰爲五穀湯液及醪醴柰何岐伯對曰必以稻米炊以稻薪稻米者完稻薪者堅帝曰何以然岐伯曰此得天地之和高下之宜故能至完伐取得時故能至堅也帝曰上古聖人作湯液醪醴爲而不用何也岐伯曰自古聖人之作湯液醪醴者以爲備耳夫上古作湯

液故爲而弗服也中古之世道德稍衰邪氣時至服之萬全帝曰今之世不必已何也岐伯曰當今之世必齊毒藥攻其中鑱石鍼艾治其外也帝曰形弊血盡而功不立者何岐伯曰神不使也帝曰何謂神不使岐伯曰鍼石道也精神不進志意不治故病不可愈今精壞神去榮衛不可復收何者嗜欲無窮而憂患不止精氣弛壞榮泣衛除故神去之而病不愈也帝曰夫病之始生也極微極精必先入結於皮膚今良工皆稱曰病成名曰逆則鍼石不能治良藥不能及也今良工皆得其法守其數親戚兄弟遠近音聲日聞於耳五色日見於目而病不愈者亦何暇不早乎岐伯曰病爲本工爲標標

本不得邪氣不服此之謂也帝曰其有不從毫毛生而五藏陽以竭也津液充郭其魄獨居孤精於內氣耗於外形不可與衣相保此四極急而動中是氣拒於內而形施於外治之奈何岐伯曰平治於權衡去宛陳莝是以微動四極溫衣繆刺其處以復其形開鬼門潔淨府精以時服五陽已布疏滌五藏故精自生形自盛骨肉相保巨氣乃平帝曰善

玉版論要篇第十五

黃帝問曰余聞揆度奇恒所指不同用之奈何岐伯對曰揆度者度病之淺深也奇恒者言奇病也請（一作謂）言道之至數五色脈變揆度奇恒道在於一神轉不回回

則不轉乃失其機至數之要迫近以微著之玉版命曰合玉機容色見上下左右各在其要其色見淺者湯液主治十日已其見深者必齊主治二十一日已其見大深者醪酒主治百日已色夭面脫不治百日盡已脉短氣絶死病温虚甚死色見上下左右各在其要上爲逆下爲從女子右爲逆左爲從男子左爲逆右爲從易重陽死重陰死陰陽反他（一作作）治在權衡相奪奇恒事也揆度事也搏脉痺躄寒熱之交脉孤爲消氣虚泄爲奪血孤爲逆虚爲從行奇恒之法以太陰始行所不勝曰逆逆則死行所勝曰從從則活八風四時之勝終而復始逆行一過不復可數論要畢矣

診要經終論篇第十六

黄帝問曰診要何如岐伯對曰正月二月天氣始方地氣始發人氣在肝三月四月天氣正方地氣定發人氣在脾五月六月天氣盛地氣高人氣在頭七月八月陰氣始殺人氣在肺九月十月陰氣始冰地氣始閉人氣在心十一月十二月冰復地氣合人氣在腎故春刺散俞及與分理血出而止甚者傳氣間者環也夏刺絡俞見血而止盡氣閉環痛病必下秋刺皮膚循理上下同法神變而止冬刺俞竅於分理甚者直下間者散下春夏秋冬各有所刺法其所在春刺夏分脉亂氣微入淫骨髓病不能愈令人不嗜食又且少氣春刺秋分筋攣

逆氣環爲欬嗽病不愈令人時驚又且哭春刺冬分邪氣著藏令人脹病不愈又且欲言語夏刺春分病不愈令人解墮夏刺秋分病不愈令人心中欲無言惕惕如人將捕之夏刺冬分病不愈令人少氣時欲怒秋刺春分病不已令人惕然欲有所爲起丂忘之秋刺夏分病不已令人益嗜卧又且善夢秋刺冬分病不已令人洒洒時寒冬刺春分病不已令人欲卧不能眠眠而有見冬刺夏分病不愈氣上發爲諸痺冬刺秋分病不已令人善渴凡刺胷腹者必避五藏中心環死中脾者五日死中腎者七日死中肺者五日死中鬲者皆爲傷中其病雖愈不過一歲必死刺避五藏者知逆從也所謂從

者鬲與脾腎之處不知者反之刺胷腹者必以布憿一作憿著之乃從單布上刺刺之不愈復刺刺鍼必肅刺腫搖鍼經刺勿搖此刺之道也帝曰願聞十二經脉之終柰何岐伯曰太陽之脉其終也戴眼反折瘈瘲其色白絕汗乃出出則死矣少陽終者耳聾百節皆縱目睘絕系絕系一日半死其死也色先青白乃死矣陽明終者口目作動善驚妄言色黃其上下經盛不仁則終矣少陰終者面黑齒長而垢腹脹閉上下不通而終矣太陰終者腹脹閉不得息善噫善嘔嘔則逆逆則面赤不逆則上下不通不通則面黑皮毛焦而終矣厥陰終者中熱嗌乾善溺心煩甚則舌卷卵上縮而終矣此十二經

之所敗也

黄帝内經素問卷之二

黄帝内經素問卷之三

脉要精微論篇第十七

黄帝問曰：診法何如？岐伯對曰：診法常以平旦，陰氣未動，陽氣未散，飲食未進，經脉未盛，絡脉調匀，氣血未亂，故乃可診有過之脉。切脉動静而視精明，察五色，觀五藏有餘不足，六府强弱，形之盛衰，以此參伍，决死生之分。夫脉者，血之府也。長則氣治，短則氣病，數則煩心，大則病進，上盛則氣高，下盛則氣脹，代則氣衰，細則氣少，濇則心痛，渾渾革至如涌泉，病進而色弊，緜緜其去如弦絶，死。夫精明五色者，氣之華也。赤欲如白裹朱，不欲如赭；白欲如鵝羽，不欲如鹽；青欲如蒼璧之澤，不欲如藍黄欲如羅裹雄黄不欲如黄土黑欲如重漆色不欲如地蒼五色精微象見矣其壽不久也夫精明者所以視萬物别白黑審短長以長爲短以白爲黑如是則精衰矣五藏者中之守也中盛藏滿氣勝傷恐者聲如從室中言是中氣之濕也言而微終日乃復言者此奪氣也衣被不斂言語善惡不避親踈者此神明之亂也倉廩不藏者是門戶不要也水泉不止者是膀胱不藏也得守者生失守者死夫五藏者身之強也頭者精明之府頭傾視深精神將奪矣背者胷中之府背曲肩隨府將壞矣腰者腎之府轉揺不能腎將憊矣膝者筋之府屈伸不能行則僂附一作俯又作跗筋將憊矣骨者髓之府不

能久立行則振掉骨將憊矣得強則生失強則死岐伯曰反四時者有餘爲精不足爲消應太過不足爲精應不足有餘爲消陰陽不相應病名曰關格帝曰脉其四時動柰何知病之所在柰何知病之所變柰何知病乍在內柰何知病乍在外柰何請問此五者可得聞乎岐伯曰請言其與天運轉大也萬物之外六合之內天地之變陰陽之應彼春之暖爲夏之暑彼秋之忿爲冬之怒四變之動脉與之上下以春應中規夏應中矩秋應中衡冬應中權是故冬至四十五日陽氣微上陰氣微下夏至四十五日陰氣微上陽氣微下陰陽有時與脉爲期期而相失如脉所分分之有期故知死時微妙在

脉不可不察察之有紀從陰陽始始之有經從五行生
生之有度四時爲宜補寫勿失與天地如一得一之精
以知死生是故聲合五音色合五行脉合陰陽是知陰
盛則夢涉大水恐懼陽盛則夢大火燔灼陰陽俱盛則
夢相殺毁傷上盛則夢飛下盛則夢墮甚飽則夢予甚
飢則夢取肝氣盛則夢怒肺氣盛則夢哭短蟲多則夢
聚衆長蟲多則夢相擊毁傷是故持脉有道虛靜爲保
春日浮如魚之遊在波夏日在膚泛泛乎萬物有餘秋
日下膚蟄蟲將去冬日在骨蟄蟲周密君子居室故曰
知内者按而紀之知外者終而始之此六者持脉之大
法心脉搏堅而長當病舌卷不能言其耎而散者當消

環自已肺脈搏堅而長當病唾血其耎而散者當病灌汗至令不復散發也肝脈搏堅而長色不青當病墜若搏因血在脅下令人喘逆其耎而散色澤者當病溢飲溢飲者渴暴多飲而易入肌皮腸胃之外也胃脈搏堅而長其色赤當病折髀其耎而散者當病食痺脾脈搏堅而長其色黃當病少氣其耎而散色不澤者當病足䯒腫若水狀也腎脈搏堅而長其色黃而赤者當病折腰其耎而散者當病少血至令不復也帝曰診得心脈而急此為何病病形何如岐伯曰病名心疝少腹當有形也帝曰何以言之岐伯曰心為牡藏小腸為之使故曰少腹當有形也帝曰診得胃脈病形何如岐伯曰胃

脉實則脹虛則泄帝曰病成而變何謂岐伯曰風成爲寒熱癉成爲消中厥成爲巔疾久風爲飧泄脉風成爲癘病之變化不可勝數帝曰諸癰腫筋攣骨痛此皆安生岐伯曰此寒氣之腫八風之變也帝曰治之柰何岐伯曰此四時之病以其勝治之愈也帝曰有故病五藏發動因傷脉色各何以知其久暴至之病乎岐伯曰悉乎哉問也徵其脉小色不奪者新病也徵其脉不奪其色奪者此久病也徵其脉與五色俱奪者此久病也徵其脉與五色俱不奪者新病也肝與腎脉並至其色蒼赤當病毀傷不見血已見血濕若中水也尺內兩傍則季脇也尺外以候腎尺裏以候腹中附上左外以候肝

内以候鬲右外以候胃内以候脾上附上右外以候肺内以候胸中左外以候心内以候膻中前以候前後以候後上竟上者胸喉中事也下竟下者少腹腰股膝脛足中事也麤大者陰不足陽有餘爲熱中也來疾去徐上實下虛爲厥巔疾來徐去疾上虛下實爲惡風也故中惡風者陽氣受也有脉俱沉細數者少陰厥也沉細數散者寒熱也浮而散者爲眴音順仆諸浮不躁者皆在陽則爲熱其有躁者在手諸細而沉者皆在陰則爲骨痛其有靜者在足數動一代者病在陽之脉也洩及便膿血諸過者切之濇者陽氣有餘也滑者陰氣有餘也陽氣有餘爲身熱無汗陰氣有餘爲多汗身寒陰陽有

餘則無汗而寒推而外之内而不外有心腹積也推而内之外而不内身有熱也推而上之上而不下一作下而不上腰足清也推而下之下而不上一作上而不下頭項痛也按之至骨脉氣少者腰脊痛而身有痺也

平人氣象論篇第十八

黄帝問曰平人何如岐伯對曰人一呼脉再動一吸脉亦再動呼吸定息脉五動閏以大息命曰平人平人者不病也常以不病調病人醫不病故爲病人平息以調之爲法人一呼脉一動一吸脉一動曰少氣人一呼脉三動一吸脉三動而躁尺熱曰病温尺不熱脉滑曰病風脉濇曰痺人一呼脉四動以上曰死脉絶不至曰死

乍踈乍數曰死平人之常氣稟於胃胃者平人之常氣
也人無胃氣曰逆逆者死春胃微弦曰平弦多胃少曰
肝病但弦無胃曰死胃而有毛曰秋病毛甚曰今病藏
眞散於肝肝藏筋脉之氣也夏胃微鉤曰平鉤多胃少
曰心病但鉤無胃曰死胃而有石曰冬病石甚曰今病
藏眞通於心心藏血脉之氣也長夏胃微耎弱曰平弱
多胃少曰脾病但代無胃曰死耎弱有石曰冬病弱甚
曰今病藏眞濡於脾脾藏肌肉之氣也秋胃微毛曰平
毛多胃少曰肺病但毛無胃曰死毛而有弦曰春病弦
甚曰今病藏眞高於肺以行榮衛陰陽也冬胃微石曰
平石多胃少曰腎病但石無胃曰死石而有鉤曰夏病

鈎甚曰今病藏眞下於腎腎藏骨髓之氣也胃之大絡名曰虛里貫鬲絡肺出於左乳下其動應衣脉宗氣也盛喘數絶者則病在中結而横有積矣絶不至曰死乳之下其動應衣宗氣泄也（上十一字疑衍）欲知寸口大過與不及寸口之脉中手短者曰頭痛寸口脉中手長者曰足脛痛寸口脉中手促上擊者曰肩背痛寸口脉沉而堅者曰病在中寸口脉浮而盛者曰病在外寸口脉沉而弱曰寒熱及疝瘕少腹痛（上十五字疑衍）寸口脉沉而横曰脇下有積腹中有横積痛寸口脉沉而喘曰寒熱脉盛滑堅者曰病在外脉小實而堅者病在内脉小弱以濇謂之久病脉滑浮而疾者謂之新病脉急者曰疝瘕少腹

痛脉滑曰風脉濇曰痺緩而滑曰熱中盛而緊曰脹脉從陰陽病易已脉逆陰陽病難已脉得四時之順曰病無他脉反四時及不間藏曰難已臂多青脉曰脫血尺脉緩濇謂之解㑊安卧脉盛謂之脫血尺濇脉滑謂之多汗尺寒脉細謂之後泄脉尺麤常熱者謂之熱中肝見庚辛死心見壬癸死脾見甲乙死肺見丙丁死腎見戊已死是謂眞藏見皆死頸脉動喘病欬曰水目裹微腫如卧蠶起之狀曰水溺黄赤安卧者黄疸已食如飢者胃疸面腫曰風足脛腫曰水目黄者曰黄疸婦人手少陰脉動甚者任子也脉有逆從四時未有藏形春夏而脉瘦秋冬而脉浮大命曰逆四時也風（一作病）熱而脉

靜泄而脫血脉實病在中脉虛病在外脉濇堅者皆難治命曰反四時也人以水穀爲本故人絶水穀則死脉無胃氣亦死所謂無胃氣者但得真藏脉不得胃氣也所謂脉不得胃氣者肝不弦腎不石也太陽脉至洪大以長少陽脉至乍數乍踈乍短乍長陽明脉至浮大而短夫平心脉來累累如連珠如循琅玕曰心平夏以胃氣爲本病心脉來喘喘連屬其中微曲曰心病死心脉來前曲後居如操帶鉤曰心死平肺脉來厭厭聶聶如落榆莢曰肺平秋以胃氣爲本病肺脉來不止不下如循雞羽曰肺病死肺脉來如物之浮如風吹毛曰肺死平肝脉來耎弱招招如揭長竿末梢曰肝平春以胃氣

爲本病肝脉來盈實而滑如循長竿曰肝病死肝脉來急益勁如新張弓弦曰肝死平脾脉來和柔相離如雞踐地曰脾平長夏以胃氣爲本病脾脉來實而盈數如雞舉足曰脾病死脾脉來銳堅如烏之喙如烏之距如屋之漏如水之流曰脾死平腎脉來喘喘累累如鈎按之而堅曰腎平冬以胃氣爲本病腎脉來如引葛按之益堅曰腎病死腎脉來發如奪索辟辟如彈石曰腎死

玉機眞藏論篇第十九

黄帝問曰春脉如弦何如而弦歧伯對曰春脉者肝也東方木也萬物之所以始生也故其氣來耎弱輕虛而滑端直以長故曰弦反此者病帝曰何如而反歧伯曰

其氣來實而強此謂太過病在外其氣來不實而微此謂不及病在中帝曰春脉太過與不及其病皆何如岐伯曰太過則令人善忘（當作怒）忽忽眩冒而巔疾其不及則令人胷痛引背下則兩脇胠滿帝曰善夏脉如鉤何如而鉤岐伯曰夏脉者心也南方火也萬物之所以盛長也故其氣來盛去衰故曰鉤反此者病帝曰何如而反岐伯曰其氣來盛去亦盛此謂太過病在外其氣來不盛去反盛此謂不及病在中帝曰夏脉太過與不及其病皆何如岐伯曰太過則令人身熱而膚痛為浸淫其不及則令人煩心上見欬唾下為氣泄帝曰善秋脉如浮何如而浮岐伯曰秋脉者肺也西方金也萬物之

所以收成也故其氣來輕虛以浮來急去散故曰浮反此者病帝曰何如而反岐伯曰其氣來毛而中央堅兩傍虛此謂大過病在外其氣來毛而微此謂不及病在中帝曰秋脉大過與不及其病皆何如岐伯曰大過則令人逆氣而背痛慍慍然其不及則令人喘呼吸少氣而欬上氣見血下聞病音帝曰善冬脉如營何如而營岐伯曰冬脉者腎也北方水也萬物之所以合藏也故其氣來沉以搏故曰營反此者病帝曰何如而反岐伯曰其氣來如彈石者此謂大過病在外其去如數者此謂不及病在中帝曰冬脉大過與不及其病皆何如岐伯曰大過則令人解㑊脊脉痛而少氣不欲言其不及

則令人心懸如病饑䏚中清脊中痛少腹滿小便變帝
曰善帝曰四時之序逆從之變異也然脾脉獨何主岐
伯曰脾脉者土也孤藏以灌四傍者也帝曰然則脾善
惡可得見之乎岐伯曰善者不可得見惡者可見帝曰
惡者何如可見岐伯曰其來如水之流者此謂太過病
在外如鳥之喙者此謂不及病在中帝曰夫子言脾爲
孤藏中央土以灌四傍其太過與不及其病皆何如岐
伯曰太過則令人四支不舉其不及則令人九竅不通
名曰重強帝瞿然而起再拜而稽首曰善吾得脉之大
要天下至數五色脉變揆度奇恒道在於一神轉不迴
迴則不轉乃失其機至數之要迫近以微著之玉版藏

之藏府每旦讀之名曰玉機五藏受氣於其所生傳之於其所勝氣舍於其所生死於其所不勝病之且死必先傳行至其所不勝病乃死此言氣之逆行也故死肝受氣於心傳之於脾氣舍於腎至肺而死心受氣於脾傳之於肺氣舍於肝至腎而死脾受氣於肺傳之於腎氣舍於心至肝而死肺受氣於腎傳之於肝氣舍於脾腎受氣於肝傳之於心氣舍於肺至脾而死至心而死此皆逆死也一日一夜五分之此所以占死生之早暮也黄帝曰五藏相通移皆有次五藏有病則各傳其所勝不治法三月若六月若三日若六日傳五藏而當死是順傳所勝之次故曰别於陽者知病從來别於陰者

知死生之期言知至其所困而死是故風者百病之長
也今風寒客於人使人毫毛畢直皮膚閉而爲熱當是
之時可汗而發也或痺不仁腫痛當是之時可湯熨及
火灸刺而去之弗治病入舍於肺名曰肺痺發欬上氣
弗治肺卽傳而行之肝病名曰肝痺一名曰厥脇痛出
食當是之時可按若刺耳弗治肝傳之脾病名曰脾風
發癉腹中熱煩心出黃當此之時可按可藥可浴弗治
脾傳之腎病名曰疝瘕少腹寃熱而痛出白一名曰蠱
當此之時可按可藥弗治腎傳之心病筋脉相引而急
病名曰瘛當此之時可灸可藥弗治滿十日法當死腎
因傳之心心卽復反傳而行之肺發寒熱法當三歲死

此病之次也然其卒發者不必以以於傳或其傳化有不以次不以以次入者憂恐悲喜怒令不得以其次故令人有大病矣因而喜大虛則腎氣乘矣怒則肝氣乘矣悲則肺氣乘矣恐則脾氣乘矣憂則心氣乘矣此其道也故病有五五五二十五變反其傳化傳乘之名也大骨枯槁大肉陷下胷中氣滿喘息不便其氣動形期六月死眞藏脉見乃予之期日大骨枯槁大肉陷下胷中氣滿喘息不便内痛引肩項期一月死眞藏見乃予之期日大骨枯槁大肉陷下胷中氣滿喘息不便内痛引肩項身熱脫肉破䐃眞藏見十月之内死大骨枯槁大肉陷下肩髓内消動作益衰眞藏來未一作見期一歲死見

其眞藏乃予之期日大骨枯槁大肉陷下胷中氣滿腹
内痛心中不便肩項身熱破䐃脱肉目匡陷眞藏見目
不見人立死其見人者至其所不勝之時則死急虛身
中卒至五藏絶閉脉道不通氣在往來譬於墮溺不可
爲期其脉絶不來若人一作一息四五六至其形肉不脱
眞藏雖不見猶死也眞肝脉至中外急如循刀刃責責
然如按琴瑟弦色青白不澤毛折乃死眞肺脉至堅而
搏如循薏苡子累累然色赤黑不澤毛折乃死眞肺脉
至大而虛如以毛羽中人膚色白赤不澤毛折乃死眞
腎脉至搏而絶如指彈石辟辟然色黑黄不澤毛折乃
死眞脾脉至弱而乍數乍踈色黄青不澤毛折乃死諸

眞藏脉見皆死不治也黄帝曰見眞藏曰死何也岐伯曰五藏者皆禀氣於胃胃者五藏之本也藏氣者不能自致於手太陰必因於胃氣乃至於手太陰也故五藏各以其時自爲而至於手太陰也故邪氣勝者精氣衰也故病甚者胃氣不能與之倶至於手太陰故眞藏之氣獨見獨見者病勝藏也故曰死帝曰善黄帝曰凡治病察其形氣色澤脉之盛衰病之新故乃治之無後其時形氣相得謂之可治色澤以浮謂之易已脉從四時謂之可治脉弱以滑是有胃氣命曰易治取之以時形氣相失謂之難治色夭不澤謂之難已脉實以堅謂之益甚脉逆四時爲不可治必察四難而明告之所謂逆

四時者春得肺脉夏得腎脉秋得心脉冬得脾脉其至皆懸絶沉濇者命曰逆四時未有藏形於春夏而脉沉濇秋冬而脉浮大名曰逆四時也病熱脉静泄而脉大脱血而脉實病在中脉實堅病在外脉不實堅者皆難治黄帝曰余聞虚實以决死生願聞其情岐伯曰五實死五虚死帝曰願聞五實五虚岐伯曰脉盛皮熱腹脹前後不通悶瞀此謂五實脉細皮寒氣少泄利前後飲食不入此謂五虚帝曰其時有生者何也岐伯曰漿粥入胃泄注止則虚者活身汗得後利則實者活此其候也

三部九候論篇第二十

黃帝問曰余聞九鍼於夫子衆多博大不可勝數余願聞要道以屬子孫傳之後世著之骨髓藏之肝肺歃血而受不敢妄泄令合天道必有終始上應天光星辰歷紀下副四時五行貴賤更立冬陰夏陽以人應之奈何願聞其方岐伯對曰妙乎哉問也此天地之至數帝曰願聞天地之至數合於人形血氣通決死生爲之奈何岐伯曰天地之至數始於一終於九焉一者天二者地三者人因而三之三三者九以應九野故人有三部部有三候以決死生以處百病以調虛實而除邪疾帝曰何謂三部岐伯曰有下部有中部有上部部各有三候三候者有天有地有人也必指而導之乃以爲真上部

天兩額之動脉上部地兩頰之動脉上部人耳前之動脉中部天手太陰也中部地手陽明也中部人手少陰也下部天足厥陰也下部地足少陰也下部人足太陰也故下部之天以候肝地以候腎人以候脾胃之氣帝曰中部之候柰何歧伯曰亦有天亦有地亦有人天以候肺地以候胷中之氣人以候心帝曰上部以何候之歧伯曰亦有天亦有地亦有人天以候頭角之氣地以候口齒之氣人以候耳目之氣三部者各有天各有地各有人三而成天三而成地三而成人三而三之合則爲九九分爲九野九野爲九藏故神藏五形藏四合爲九藏五藏已敗其色必夭夭必死矣帝曰以候柰何歧

伯曰必先度其形之肥瘦以調其氣之虚實實則寫之
虚則補之必先去其血脉而後調之無問其病以平爲
期帝曰決死生奈何岐伯曰形盛脉細少氣不足以息
者危形瘦脉大胷中多氣者死形氣相得者生參伍不
調者病三部九候皆相失者死上下左右之脉相應如
參舂者病甚上下左右相失不可數者死中部之候雖
獨調與衆藏相失者死中部之候相减者死目内陷者
死帝曰何以知病之所在岐伯曰察九候獨小者病獨
大者病獨疾者病獨遲者病獨熱者病獨寒者病獨陷
下者病以左手足上上去踝五寸按之庶右手足當踝
而彈之其應過五寸以上蠕蠕然者不病其應疾中手

渾渾然者病中手徐徐然者病其應上不能至五寸彈之不應者死是以脫肉身不去者死中部乍踈乍數者死其脉代而鈎者病在絡脉九候之相應也上下若一不得相失一候後則病二候後則病甚三候後則病危所謂後者應不俱也察其府藏以知死生之期必先知經脉然後知病脉眞藏脉見者勝死足太陽氣絶者其足不可屈伸死必戴眼帝曰冬陰夏陽奈何歧伯曰九候之脉皆沉細懸絶者爲陰主冬故以夜半死盛躁喘數者爲陽主夏故以日中死是故寒熱病者以平旦死熱中及熱病者以日中死病風者以日夕死病水者以夜半死其脉乍踈乍數乍遲乍疾者日乘四季死形肉

已脫九候雖調猶死七診雖見九候皆從者不死所言不死者風氣之病及經月之病似七診之病而非也故言不死若有七診之病其脉候亦敗者死矣必發噦噫必審問其所始病與今之所方病而後各切循其脉視其經絡浮沉以上下逆從循之其脉疾者百病其脉遲者病脉不往來者死皮膚著者死帝曰其可治者柰何歧伯曰經病者治其經孫絡病者治其孫（二孫字疑衍）絡血血病（二字疑衍）身有痛者治其經絡其病者在奇邪奇邪之脉則繆刺之留瘦不移節而刺之上實下虛切而從之索其結絡脉刺出其血以見通之瞳子高者大陽不足戴眼者大陽已經此決死生之要不可不察也手指及

手外踝上五指留鍼

黃帝內經素問卷之三

黄帝内經素問卷之四

經脉别論篇第二十一

黄帝問曰：人之居處動静勇怯，脉亦為之變乎？岐伯對曰：凡人之驚恐恚勞動静，皆為變也。是以夜行則喘出於腎，淫氣病肺。有所墮恐，喘出於肝，淫氣害脾。有所驚恐，喘出於肺，淫氣傷心。度水跌仆，喘出於腎與骨。當是之時，勇者氣行則已，怯者則著而為病也。故曰：診病之道，觀人勇怯骨肉皮膚，能知其情，以為診法也。故飲食飽甚，汗出於胃。驚而奪精，汗出於心。持重遠行，汗出於腎。疾走恐懼，汗出於肝。揺體勞苦，汗出於脾。故春秋冬夏，四時陰陽，生病起於過用，此為常也。食氣入胃，散精於肝淫氣於筋食氣入胃濁氣歸心淫精於脉脉氣流經經氣歸於肺肺朝百脉輸精於皮毛毛脉合精行氣於府府精神明留於四藏氣歸於權衡權衡以平氣口成寸以決死生飲入於胃遊溢精氣上輸於脾脾氣散精上歸於肺通調水道下輸膀胱水精四布五經並行合於四時五藏陰陽揆度以爲常也太陽藏獨至厥喘虚氣逆是陰不足陽有餘也表裏當俱寫取之下俞陽明藏獨至是陽氣重并也當寫陽補陰取之下俞少陽藏獨至是厥氣也蹻前卒大取之下俞少陽獨至者一陽之過也太陰藏摶者用心省眞五脉氣少胃氣不平三陰也宜治其下俞補陽寫陰一陽獨嘯少陽厥也陽

并於上四脈爭張氣歸於腎宜治其經絡寫陽補陰一陰至厥陰之治也眞虚痟心厥氣留薄發爲白汗調食和藥治在下俞帝曰太陽藏何象岐伯曰象三陽而浮也帝曰少陽藏何象岐伯曰象一陽也一陽藏者滑而不實也帝曰陽明藏何象岐伯曰象大浮也太陰藏搏言伏鼓也二陰搏至腎沉不浮也

藏氣法時論篇第二十二

黃帝問曰合人形以法四時五行而治何如而從何如而逆得失之意願聞其事岐伯對曰五行者金木水火土也更貴更賤以知死生以決成敗而定五藏之氣間甚之時死生之期也帝曰願卒聞之岐伯曰肝主春足

厥陰少陽主治其日甲乙肝苦急急食甘以緩之心主
夏手少陰太陽主治其日丙丁心苦緩急食酸以收之
脾主長夏足太陰陽明主治其日戊己脾苦濕急食苦
以燥之肺主秋手太陰陽明主治其日庚辛肺苦氣上
逆急食苦以泄之腎主冬足少陰太陽主治其日壬癸
腎苦燥急食辛以潤之開腠理致津液通氣也病在肝
愈於夏夏不愈甚於秋秋不死持於冬起於春禁當風
肝病者愈在丙丁丙丁不愈加於庚辛庚辛不死持於
壬癸起於甲乙肝病者平旦慧下晡甚夜半靜肝欲散
急食辛以散之用辛補之酸寫之病在心愈在長夏長
夏不愈甚於冬冬不死持於春起於夏禁溫食熱衣心

病者愈在戊己戊己不愈加於壬癸壬癸不死持於甲乙起於丙丁心病者日中慧夜半甚平旦靜心欲耎急食鹹以耎之用鹹補之甘寫之病在脾愈在秋秋不愈甚於春春不死持於夏起於長夏禁溫食飽食濕地濡衣脾病者愈在庚辛庚辛不愈加於甲乙甲乙不死持於丙丁起於戊己脾病者日昳（音迭日昃）慧日出甚下晡靜脾欲緩急食甘以緩之用苦寫之甘補之病在肺愈在冬冬不愈甚於夏夏不死持於長夏起於秋禁寒飲食寒衣肺病者愈在壬癸壬癸不愈加於丙丁丙丁不死持於戊己起於庚辛肺病者下晡慧日中甚夜半靜肺欲收急食酸以收之用酸補之辛寫之病在腎愈在春

春不愈甚於長夏長夏不死持於秋起於冬禁犯焠烪
熱食溫炙衣腎病者愈在甲乙甲乙不愈甚於戊己戊
己不死持於庚辛起於壬癸腎病者夜半慧四季甚下
晡靜腎欲堅急食苦以堅之用苦補之鹹寫之夫邪氣
之客於身也以勝相加至其所生而愈至其所不勝而
甚至於所生而持自得其位而起必先定五藏之脉乃
可言間甚之時死生之期也肝病者兩脇下痛引少腹
令人善怒虛則目䀮䀮無所見耳無所聞善恐如人將
捕之取其經厥陰與少陽氣逆則頭痛耳聾不聰頰腫
取血者心病者胷中痛脇支滿脇下痛膺背肩甲間痛
兩臂內痛虛則胷腹大脇下與腰相引而痛取其經少

陰太陽舌下血者其變病刺郄中血者脾病者身重善肌肉痿足不收行善瘈音係脚下痛虛則腹虛腸鳴飧泄食不化取其經太陰陽明少陰血者肺病者喘欬逆氣肩背痛汗出尻陰股膝髀腨胻足皆痛虛則少氣不能報息耳聾嗌乾取其經太陰足太陽之外厥陰內血者腎病者腹大脛腫喘欬身重寢汗出憎風虛則胷中痛大腹小腹一作大腸小腸痛清厥意不樂取其經少陰太陽血者肝色青宜食甘粳米牛肉棗葵皆甘心色赤宜食酸小豆犬肉李韭皆酸肺色白宜食苦麥羊肉杏薤音械皆苦脾色黃宜食鹹大豆豕肉栗藿皆鹹腎色黑宜食辛黃黍雞肉桃葱皆辛辛散酸收甘緩苦堅鹹耎毒藥攻

邪五穀爲養五果爲助五畜爲益五菜爲充氣味合而服之以補精益氣此五者有辛酸甘苦鹹各有所利或散或收或緩或急或堅或耎四時五藏病隨五味所宜也

宣明五氣篇第二十三

五味所入酸入肝辛入肺苦入心鹹入腎甘入脾是謂五入五氣所病心爲噫肺爲欬肝爲語脾爲吞腎爲欠爲嚏胃爲氣逆爲噦爲恐大腸小腸爲泄下焦溢爲水膀胱不利爲癃不約爲遺溺膽爲怒是謂五病五精所并精氣并於心則喜并於肺則悲并於肝則憂并於脾則畏并於腎則恐是謂五并虛而相并者也五藏所惡

心惡熱肺惡寒肝惡風脾惡濕腎惡燥是謂五惡五藏化液心爲汗肺爲涕肝爲淚脾爲涎腎爲唾是謂五液五味所禁辛走氣氣病無多食辛鹹走血血病無多食鹹苦走骨骨病無多食苦甘走肉肉病無多食甘酸走筋筋病無多食酸是謂五禁無令多食五病所發陰病發於骨陽病發於血陰病發於肉陽病發於冬陰病發於夏是謂五發五邪所亂邪入於陽則狂邪入於陰則痺搏陽則爲巔疾搏陰則爲瘖陽入之陰則靜陰出之陽則怒是謂五亂五邪所見春得秋脉夏得冬脉長夏得春脉秋得夏脉冬得長夏脉名曰陰出之陽病善怒不治是謂五邪皆同命死不治五藏所藏心藏神肺藏

魄肝藏魂脾藏意腎藏志是謂五藏所藏五藏所主心主脉肺主皮肝主筋脾主肉腎主骨是謂五主五勞所傷久視傷血久卧傷氣久坐傷肉久立傷骨久行傷筋是謂五勞所傷五脉應象肝脉絃心脉鈎脾脉代肺脉毛腎脉石是謂五藏之脉

血氣形志篇第二十四

夫人之常數太陽常多血少氣少陽常少血多氣陽明常多氣多血少陰常少血多氣厥陰常多血少氣太陰常多氣少血此天之常數足太陽與少陰爲表裏少陽與厥陰爲表裏陽明與太陰爲表裏是爲足陰陽也手太陽與少陰爲表裏少陽與心主爲表裏陽明與太陰

爲表裏是爲手之陰陽也今知手足陰陽所苦凡治病必先去其血乃去其所苦伺之所欲然後寫有餘補不足欲知背俞先度其兩乳間中折之更以他草度去半已即以兩隅相拄也乃舉以度其背令其一隅居上齊脊大椎兩隅在下當其下隅者肺之俞也復下一度心之俞也復下一度左角肝之俞也右角脾之俞也復下一度腎之俞也是謂五藏之俞灸刺之度也形樂志苦病生於脉治之以灸刺形樂志樂病生於肉治之以鍼石形苦志樂病生於筋治之以熨引形苦志苦病生於咽嗌治之以百（一作甘）藥形數驚恐經絡不通病生於不仁治之以按摩醪藥是謂五形志也刺陽明出血氣刺

太陽出血惡氣刺少陽出氣惡血刺太陰出氣惡血刺
少陰出氣惡血刺厥陰出血惡氣也

寳命全形論篇第二十五

黄帝問曰天覆地載萬物悉備莫貴於人人以天地之
氣生四時之法成君王衆庶盡欲全形形之疾病莫知
其情留淫日深著於骨髓心私慮之余欲鍼除其疾病
爲之柰何岐伯對曰夫鹽之味鹹者其氣令器津泄絃
絶者其音嘶敗木敷者其葉發病深者其聲噦人有此
三者是謂壞府毒藥無治短鍼無取此皆絶皮傷肉血
氣爭黒帝曰余念其痛心爲之亂惑反甚其病不可更
代百姓聞之以爲殘賊爲之柰何岐伯曰夫人生於地

懸命於天天地合氣命之曰人人能應四時者天地爲之父母知萬物者謂之天子天有陰陽人有十二節天有寒暑人有虛實能經天地陰陽之化者不失四時知十二節之理者聖智不能欺也能存八動之變五勝更立能達虛實之數者獨出獨入呿祛遮反謂露齒出氣吟至微秋毫在目帝曰人生有形不離陰陽天地合氣別爲九野分爲四時月有小大日有短長萬物並至不可勝量虛實呿吟敢問其方岐伯曰木得金而伐火得水而滅土得木而達金得火而缺水得土而絶萬物盡然不可勝竭故鍼有懸布天下者五黔首共餘食莫知之也一曰治神二曰知養身三曰知毒藥爲眞四曰制砭石小大

五曰知府藏血氣之診五法俱立各有所先今末世之刺也虛者實之滿者泄之此皆衆工所共知也若夫法天則地隨應而動和之者若響隨之者若影道無鬼神獨來獨往帝曰願聞其道岐伯曰凡刺之真必先治神五藏已定九候已備後乃存鍼衆脉不見衆凶弗聞外内相得無以形先可玩往來乃施於人人有虛實五虛勿近五實勿遠至其當發間不容瞚（音舜作瞬）一手動若務鍼耀而勻靜意視義觀適之變是謂冥冥莫知其形見其烏烏見其稷稷從見其飛不知其誰伏如橫弩起如發機帝曰何如而虛何如而實岐伯曰刺虛者須其實刺實者須其虛經氣已至慎守勿失深淺在志遠近若

一如臨深淵手如握虎神無營於衆物

八正神明論篇第二十六

黄帝問曰用鍼之服必有法則焉今何法何則岐伯曰法天則地合以天光帝曰願卒聞之岐伯曰凡刺之法必候日月星辰四時八正之氣氣定乃刺之是故天温日明則人血淖液而衛氣浮故血易寫氣易行天寒日陰則人血凝泣而衛氣沉月始生則血氣始精衛氣始行月郭滿則血氣實肌肉堅月郭空則肌肉减經絡虚衛氣去形獨居是以因天時而調血氣也是以天寒無刺天温無凝月生無寫月滿無補月郭空無治是謂得時而調之因天之序盛虚之時移光定位正立而待之

故曰月生而寫是謂藏虚月滿而補血氣揚溢絡有留血命曰重實月郭空而治是謂亂經陰陽相錯眞邪不别沉以留止外虚内亂淫邪乃起帝曰星辰八正何候岐伯曰星辰者所以制日月之行也八正者所以候八風之虚邪以時至者也四時者所以分春秋冬夏之氣所在以時調之也八正之虚邪而避之勿犯也以身之虚而逢天之虚兩虚相感其氣至骨入則傷五藏工候救之弗能傷也故曰天忌不可不知也帝曰善其法星辰者余聞之矣願聞法往古者岐伯曰法往古者先知鍼經也驗於來今者先知日之寒温月之虚盛以候氣之浮沉而調之於身觀其立有驗也觀其冥冥者言形

氣榮衛之不行於外而工獨知之以日之寒溫月之虛
盛四時氣之浮沉參伍相合而調之工常先見之然而
不形於外故曰觀於冥冥焉通於無窮者可以傳於後
世也是故工之所以異也然而不形見於外故俱不能
見也視之無形嘗之無味故謂冥冥若神髣髴虛邪者
八正之虛邪氣也正邪者身形若用力汗出腠理開逢
虛風其中人也微故莫知其情莫見其形上工救其萌
牙必先見三部九候之氣盡調不敗而救之故曰上工
下工救其已成救其已敗救其已成者言不知三部九
候之相失因病而敗之也知其所在者知診三部九候
之病脉處而治之故曰守其門戶焉莫知其情而見邪

形也帝曰余聞補寫未得其意岐伯曰寫必用方方者以氣方盛也以月方滿也以日方温也以身方定也以息方吸而内鍼乃復候其方吸而轉鍼乃復候其方呼而徐引鍼故曰寫必用方其氣而行焉補必用員員者行也行者移也刺必中其榮復以吸排鍼也故員與方非鍼也故養神者必知形之肥瘦榮衛血氣之盛衰血氣血者人之神不可不謹養帝曰妙乎哉論也合人形於陰陽四時虛實之應冥冥之期其非夫子孰能通之然夫子數言形與神何謂形何謂神願卒聞之岐伯曰請言形形乎形目冥冥問其所病索之於經慧然在前按之不得不知其情故曰形帝曰何謂神岐伯曰請言神神乎

神耳不聞目明心開而志先慧然獨悟口弗能言俱視獨見適若昬昭然獨明若風吹雲故曰神三部九候為之原九鍼之論不必存也

離合真邪論篇第二十七

黃帝問曰余聞九鍼九篇夫子乃因而九之九九八十一篇余盡通其意矣經言氣之盛衰左右傾移以上調下以左調右有餘不足補寫於榮輸余知之矣此皆榮衛之傾移虛實之所生非邪氣從外入於經也余願聞邪氣之在經也其病人何如取之柰何岐伯對曰夫聖人之起度數必應於天地故天有宿度地有經水人有經脉天地溫和則經水安靜天寒地凍則經水凝泣天

暑地熱則經水沸溢卒風暴起則經水波涌而隴起夫
邪之入於脉也寒則血凝泣暑則氣淖澤虛邪因而入
客亦如經水之得風也經之動脉其至也亦時隴起其
行於脉中循循然其至寸口中手也時大時小大則邪
至小則平其行無常處在陰與陽不可爲度從而察之
三部九候卒然逢之早遏其路吸則內鍼無令氣忤靜
以久留無令邪布吸則轉鍼以得氣爲故候呼引鍼呼
盡乃去大氣皆出故命曰寫帝曰不足者補之柰何歧
伯曰必先捫而循之切而散之推而按之彈而怒之抓
而下之通而取之外引其門以閉其神呼盡內鍼靜以
久留以氣至爲故如待所貴不知日暮其氣以至適而

自護候吸引鍼氣不得出各在其處推闔其門令神氣存大氣留止故命曰補帝曰候氣柰何岐伯曰夫邪去絡入於經也舍於血脉之中其寒温未相得如涌波之起也時來時去故不常在故曰方其來也必按而止之止而取之無逢其衝而寫之眞氣者經氣也經氣大虚故曰其來不可逢此之謂也故曰候邪不審大氣已過寫之則眞氣脱脱則不復邪氣復至而病益蓄故曰其往不可追此之謂也不可挂以髮者待邪之至時而發鍼寫矣若先若後者血氣已盡（一作虚）其病不可下故曰知其可取如發機不知其取如扣椎故曰知機道者不可挂以髮不知機者扣之不發此之謂也帝曰補寫柰

何岐伯曰此攻邪也疾出以去盛血而復其眞氣此邪新客溶溶未有定處也推之則前引之則止逆而刺之溫血也刺出其血其病立已帝曰善然眞邪以合波隴不起後之奈何岐伯曰審捫循三部九候之盛虛而調之察其左右上下相失反相減者審其病藏以期之不知三部者陰陽不別天地不分地以候地天以候天人以候人調之中府以定三部故曰刺不知三部九候病脉之處雖有大過且至工不能禁也誅罰無過命曰大惑反亂大經眞不可復用實爲虛以邪爲眞用鍼無義反爲氣賊奪人正氣以從爲逆榮衞散亂眞氣已失邪獨內著絕人長命予人天殃不知三部九候故不能久

長因不知合之四時五行因加相勝釋邪攻正絶人長
命邪之新客來也未有定處推之則前引之則止逢而
寫之其病立已

通評虛實論篇第二十八

黄帝問曰何謂虛實岐伯對曰邪氣盛則實精氣奪則
虛帝曰虛實何如岐伯曰氣虛者肺虛也氣逆者足寒
也非其時則生當其時則死餘藏皆如此帝曰何謂重
實岐伯曰所謂重實者言大熱病氣熱脉滿自謂重實
帝曰經絡俱實何如何以治之岐伯曰經絡皆實是寸
脉急而尺緩也皆當治之故曰滑則從濇則逆也夫虛
實者皆從其物類始故五藏骨肉滑利可以長久也帝

曰絡氣不足經氣有餘何如歧伯曰絡氣不足經氣有餘者脉口熱而尺寒也秋冬爲逆春夏爲從治主病者帝曰經虛絡滿何如歧伯曰經虛絡滿者尺熱滿脉口寒濇也此春夏死秋冬生也帝曰治此者柰何歧伯曰絡滿經虛灸陰刺陽經滿絡虛刺陰灸陽帝曰何謂重虛歧伯曰脉（一本下有虛字）氣上（疑衍）虛尺虛是謂重虛帝曰何以治之歧伯曰所謂氣虛者言無常也尺虛者行步恇然脉虛者不象陰也如此者滑則生濇則死也帝曰寒氣暴上脉滿而實何如歧伯曰實而滑則生實而逆則死帝曰脉實滿手足寒頭熱何如歧伯曰春秋則生冬夏則死脉浮而濇濇而身有熱者死帝曰其形盡滿何

如岐伯曰其形盡滿者脉急大堅尺濇（一作滿）而不應也如是者從則生逆則死帝曰何謂從則生逆則死岐伯曰所謂從者手足溫也所謂逆者手足寒也帝曰乳子而病熱脉懸小者何如岐伯曰手足溫則生寒則死帝曰乳子中風熱喘鳴肩息者脉何如岐伯曰喘鳴肩息者脉實大也緩則生急則死帝曰腸澼便血何如岐伯曰身熱則死寒則生帝曰腸澼下白沫何如岐伯曰脉沉則生脉浮則死帝曰腸澼下膿血何如岐伯曰脉懸絶則死滑大則生帝曰腸澼之屬身不熱脉不懸絶何如岐伯曰滑大者曰生懸濇者曰死以藏期之帝曰癲疾何如岐伯曰脉搏大滑久自已脉小堅急死不治帝

曰瘨疾之脉虚實何如歧伯曰虚則可治實則死帝曰
消癉虚實何如歧伯曰脉實大病久可治脉懸小堅病
久不可治帝曰形度骨度脉度筋度何以知其度也帝
曰春亟治經絡夏亟治經俞秋亟治六府冬則閉塞閉
塞者用藥而少鍼石也所謂少鍼石者非癰疽之謂也
癰疽不得頃時回癰不知所按之不應手乍來乍已刺
手太陰傍三痏與纓脉各二掖癰大熱刺足少陽五刺
而熱不止刺手心主三刺手太陰經絡者大骨之會各
三暴癰筋緛隨分而痛魄汗不盡胞氣不足治在經俞
腹暴滿按之不下取太陽經絡者胃之募也少陰俞去
脊椎三寸傍五用員利鍼霍亂刺俞傍五足陽明及上

傷三刺癇驚脉五鍼手太陰各五刺經太陽五刺手少陰經絡傷者一足陽明一上踝五寸刺三鍼凡治消癉仆擊偏枯痿厥氣滿發逆肥貴人則高梁之疾也隔則閉絶上下不通則暴憂之病也暴厥而聾偏塞閉不通内氣暴薄也不從内外中風之病故瘦留著也蹠跛寒風濕之病也黄帝曰黄疸暴痛癲疾厥狂久逆之所生也五藏不平六府閉塞之所生也頭痛耳鳴九竅不利陽胃之所生也

大陰陽明論篇第二十九

黄帝問曰大陰陽明爲表裏脾胃脉也生病而異者何也岐伯對曰陰陽異位更虚更實更逆更從或從内或

從外所從不同故病異名也帝曰願聞其異狀也岐伯曰陽者天氣也主外陰者地氣也主內故陽道實陰道虛故犯賊風虛邪者陽受之食飲不節起居不時者陰受之陽受之則入六府陰受之則入五藏入六府則身熱不時卧上爲喘呼入五藏則䐜滿閉塞下爲飧泄久爲腸澼故喉主天氣咽主地氣故陽受風氣陰受濕氣故陰氣從足上行至頭而下行循臂至指端陽氣從手上行至頭而下行至足故曰陽病者上行極而下陰病者下行極而上故傷於風者上先受之傷於濕者下先受之帝曰脾病而四支不用何也岐伯曰四支皆禀氣於胃而不得至經一作徑至必因於脾乃得禀也今脾病不

能爲胃行其精液四支不得禀水穀氣日以衰脉道不利筋骨肌肉皆無氣以生故不用焉帝曰脾不主時何也岐伯曰脾者土也治中央常以四時長四藏各十八日寄治不得獨主於時也脾藏者常著胃土之精也土者生萬物而法天地故上下至頭足不得主時也帝曰脾與胃以膜相連耳而能爲之行其津液何也岐伯曰足太陰者三陰也其脉貫胃屬脾絡嗌故太陰爲之行氣於三陰陽明者表也五藏六府之海也亦爲之行氣於三陽藏府各因其經而受氣於陽明故爲胃行其津液四支不得禀水穀氣日以益衰陰道不利筋骨肌肉無氣以生故不用焉

陽明脉解篇第三十

黄帝問曰足陽明之脉病惡人與火聞木音則惕然而驚鍾鼓不爲動聞木音而驚何也願聞其故岐伯對曰陽明者胃脉也胃者土也故聞木音而驚者土惡木也帝曰善其惡火何也岐伯曰陽明主肉其脉（一作肌）血氣盛邪客之則熱熱甚則惡火帝曰其惡人何也岐伯曰陽明厥則喘而惋惋則惡人帝曰或喘而死者或喘而生者何也岐伯曰厥逆連藏則死連經則生帝曰善病甚則棄衣而走登高而歌或至不食數日踰垣上屋所上之處皆非其素所能也病反能者何也岐伯曰四支者諸陽之本也陽盛則四支實實則能登高也帝曰其

棄衣而走者何也岐伯曰熱盛於身故棄衣欲走也帝曰其妄言罵詈不避親踈而歌者何也岐伯曰陽盛則使人妄言罵詈不避親踈而不欲食不欲食故妄走也

黄帝内經素問卷之四

黄帝内經素問卷之五

熱論篇第三十一

黄帝問曰今夫熱病者皆傷寒之類也或愈或死其死皆以六七日之間其愈皆以十日已上者何也不知其解願聞其故岐伯對曰巨陽者諸陽之屬也其脉連於風府故爲諸陽主氣也人之傷於寒也則爲病熱熱雖甚不死其兩感於寒而病者必不免於死帝曰願聞其狀岐伯曰傷寒一日巨陽受之故頭項痛腰脊強二日陽明受之陽明主肉其脉俠鼻絡於目故身熱目疼而鼻乾不得卧也三日少陽受之少陽主膽其脉循脇絡於耳故胷脇痛而耳聾三陽經絡皆受其病而未入於

藏者故可汗而已四日太陰受之太陰脉布胃中絡於
嗌故腹滿而嗌乾五日少陰受之少陰脉貫腎絡於肺
繫舌本故口燥舌乾而渴六日厥陰受之厥陰脉循陰
器而絡於肝故煩滿而囊縮三陰三陽五府六藏皆受
病榮衛不行五藏不通則死矣其不兩感於寒者七日
巨陽病衰頭痛少愈八日陽明病衰身熱少愈九日少
陽病衰耳聾微聞十日太陰病衰腹減如故則思飲食
十一日少陰病衰渴止不滿舌乾已而嚏十二日厥陰
病衰囊縱少腹微下大氣皆去病日已矣帝曰治之奈
何岐伯曰治之各通其藏脉病日衰已矣其未滿三日
者可汗而已其滿三日者可泄而已帝曰熱病已愈時

有所遺者何也岐伯曰諸遺者熱甚而強食之故有所遺也若此者皆病已衰而熱有所藏因其穀氣相薄兩熱相合故有所遺也帝曰善治遺奈何岐伯曰視其虛實調其逆從可使必已矣帝曰病熱當何禁之岐伯曰病熱少愈食肉則復多食則遺此其禁也帝曰其病兩感於寒者其脉應與其病形何如岐伯曰兩感於寒者病一日則巨陽與少陰俱病則頭痛口乾而煩滿二日則陽明與太陰俱病則腹滿身熱不欲食譫言三日則少陽與厥陰俱病則耳聾囊縮而厥水漿不入不知人六日死帝曰五藏已傷六府不通榮衛不行如是之後三日乃死何也岐伯曰陽明者十二經脉之長也其血

氣盛故不知人三日其氣乃盡故死矣凡病傷寒而成温者先夏至日者爲病温後夏至日者爲病暑暑當與汗皆出勿止

刺熱篇第三十二

肝熱病者小便先黄腹痛多卧身熱熱爭則狂言及驚脇滿痛手足躁不得安卧庚辛甚甲乙大汗氣逆則庚辛死刺足厥陰少陽其逆則頭痛員員脉引衝頭也心熱病者先不樂數日乃熱熱爭則卒心痛煩悶善嘔頭痛面赤無汗壬癸甚丙丁大汗氣逆則壬癸死刺手少陰太陽脾熱病者先頭重頰痛煩心顔青欲嘔身熱熱爭則腰痛不可用俛仰腹滿泄兩頷痛甲乙甚戊己大

汗氣逆則甲乙死刺足太陰陽明肺熱病者先淅然厥
起毫毛惡風寒舌上黄身熱熱爭則喘欬痛走胷膺背
不得大息頭痛不堪汗出而寒丙丁甚庚辛大汗氣逆
則丙丁死刺手太陰陽明出血如大豆立已腎熱病者
先腰痛胻痠苦渴數飲身熱熱爭則項痛而強胻寒且
痠足下熱不欲言其逆則項痛員員澹澹然戊已甚壬
癸大汗氣逆則戊已死刺足少陰太陽諸汗者至其所
勝日汗出也肝熱病者左頰先赤心熱病者顔先赤脾
熱病者鼻先赤肺熱病者右頰先赤腎熱病者頤先赤
病雖未發見赤色者刺之名曰治未病熱病從部所起
者至期而已其刺之反者三周而已重逆則死諸當汗

者至其所勝日汗大出也諸治熱病以飲之寒水乃刺之必寒衣之居止寒處身寒而止也熱病先胷脇痛手足躁刺足少陽補足太陰病甚者爲五十九刺熱病始手臂痛者刺手陽明太陰而汗出止熱病始於頭首者刺項太陽而汗出止熱病始於足脛者刺足陽明而汗出止熱病先身重骨痛耳聾好瞑刺足少陰病甚爲五十九刺熱病先眩冒而熱胷脇滿刺足少陰少陽太陽之脉色榮顴骨熱病也榮未交曰今且得汗待時而已與厥陰脉爭見者死期不過三日其熱病內連腎少陽之脉色也少陽之脉色榮頰前熱病也榮未交曰今且得汗待時而已與少陰脉爭見者死期不過三日熱病

氣穴六三椎下間主胷中熱四椎下間主鬲中熱五椎下間主肝熱六椎下間主脾熱七椎下間主腎熱榮在骶也上三椎陷者中也頰下逆顴爲大瘕下牙車爲腹滿顴後爲脇痛頰上者鬲上也

評熱病論篇第三十三

黄帝問曰有病温者汗出輒復熱而脉躁疾不爲汗衰狂言不能食病名爲何岐伯曰病名陰陽交交者死也帝曰願聞其説岐伯曰人所以汗出者皆生於穀穀生於精今邪氣交爭於骨肉而得汗者是邪却而精勝也精勝則當能食而不復熱復熱者邪氣也汗者精氣也今汗出而輒復熱者是邪勝也不能食者精無俾也病

而留者其壽可立而傾也且夫熱論曰汗出而脉尚躁盛者死今脉不與汗相應此不勝其病也其死明矣狂言者是失志失志者死今見三死不見一生雖愈必死也帝曰有病身熱汗出煩滿煩滿不爲汗解此爲何病岐伯曰汗出而身熱者風也汗出而煩滿不解者厥也病名曰風厥帝曰願卒聞之岐伯曰巨陽主氣故先受邪少陰與其爲表裏也得熱則上從之從之則厥也帝曰治之柰何岐伯曰表裏刺之飲之服湯帝曰勞風爲病何如岐伯曰勞風法在肺下其爲病也使人強上冥視唾出若涕惡風而振寒此爲勞風之病帝曰治之柰何岐伯曰以救俛仰巨陽引精者三日中年者五日不

精者七日欬出青黃涕其狀如膿大如彈丸從口中若鼻中出不出則傷肺傷肺則死也帝曰有病腎風者面胕痝然壅害於言可刺不岐伯曰虛不當刺不當刺而刺後五日其氣必至帝曰其至何如岐伯曰至必少氣時熱時熱從胷背上至頭汗出手熱苦渴小便黃目下腫腹中鳴身重難以行月事不來煩而不能食不能正偃正偃則欬病名曰風水論在刺法中刺法篇名今經亡帝曰願聞其說岐伯曰邪之所湊其氣必虛陰虛者陽必湊之故少氣時熱而汗出也小便黃者少腹中有熱也不能正偃者胃中不和也正偃則欬甚上迫肺也諸有水氣者微腫先見於目下也帝曰何以言岐伯曰水者陰

也目下亦陰也腹者至陰之所居故水在腹者必使目下腫也真氣上逆故口苦舌乾卧不得正偃正偃則欬出清水也諸水病者故不得卧卧則驚驚則欬甚也腹中鳴者病本於胃也薄脾則煩不能食食不能下者胃脘隔也身重難以行者胃脉在足也月事不來者胞脉閉也胞脉者屬心而絡於胞中今氣上迫肺心氣不得下通故月事不來也帝曰善

逆調論篇第三十四

黄帝問曰人身非常温也非常熱也爲之熱而煩滿者何也歧伯對曰陰氣少而陽氣勝故熱而煩滿也帝曰人身非衣寒也中非有寒氣也寒從中生者何歧伯曰

是人多痹氣也陽氣少陰氣多故身寒如從水中出帝曰人有四支熱逢風寒如炙如於一作火者何也岐伯曰是人者陰氣虛陽氣盛四支者陽也兩陽相得而陰氣虛少少水不能滅盛火而陽獨治獨治者不能生長也獨勝而止耳逢風而如炙如火者是人當肉爍也帝曰人有身寒湯火不能熱厚衣不能溫然不凍慄是為何病岐伯曰是人者素腎氣勝以水為事太陽氣衰腎脂枯不長一水不能勝兩火腎者水也而生於骨腎不生則髓不能滿故寒甚至骨也所以不能凍慄者肝一陽也心二陽也腎孤藏也一水不能勝二火故不能凍慄病名曰骨痹是人當攣節也帝曰人之肉苛者雖近於

衣絮猶尚苛也是謂何疾岐伯曰榮氣虛衛氣實也榮氣虛則不仁衛氣虛則不用榮衛俱虛則不仁且不用肉如故也人身與志不相有曰死帝曰人有逆氣不得臥而息有音者有不得臥而息無音者有起居如故而息有音者有得臥行而喘者有不得臥不能行而喘者有不得臥臥而喘者皆何藏使然願聞其故岐伯曰不得臥而息有音者是陽明之逆也足三陽者下行今逆而上行故息有音也陽明者胃脉也胃者六府之海其氣亦下行陽明逆不得從其道故不得臥也下經曰胃不和則臥不安此之謂也夫起居如故而息有音者此肺之絡脉逆也絡脉不得隨經上下故留經而不行絡

脉之病人也微故起居如故而息有音也夫不得卧卧則喘者是水氣之客也夫水者循津液而流也腎者水藏主津液主卧與喘也帝曰善

瘧論篇第三十五

黄帝問曰夫痎瘧皆生於風其蓄作有時者何也岐伯對曰瘧之始發也先起於毫毛伸欠乃作寒慄鼓頷腰脊俱痛寒去則内外皆熱頭痛如破渴欲冷飲帝曰何氣使然願聞其道岐伯曰陰陽上下交争虚實更作陰陽相移也陽并於陰則陰實而陽虚陽明虚則寒慄鼓頷也巨陽虚則腰背頭項痛三陽俱虚則陰氣勝陰氣勝則骨寒而痛寒生於内故中外皆寒陽盛則外熱陰

虛則內熱外內皆熱則喘而渴故欲冷飲也此皆得之夏傷於暑熱氣盛藏於皮膚之內腸胃之外此榮氣之所舍也此令人汗空踈腠理開因得秋氣汗出遇風及得之以浴水氣舍於皮膚之內與衛氣并居衛氣者晝日行於陽夜行於陰此氣得陽而外出得陰而內薄內外相薄是以日作帝曰其間日而作者何也歧伯曰其氣之舍深內薄於陰陽氣獨發陰邪內著陰與陽爭不得出是以間日而作也帝曰善其作日晏與其日早者何氣使然歧伯曰邪氣客於風府循膂而下衛氣一日一夜大會於風府其明日日下一節故其作也晏此先客於脊背也每至於風府則腠理開腠理開則邪氣入

邪氣入則病作以此日作稍益晏也其出於風府日下一節二十五一作日下至骶骨二十六二一作日入於脊內注於伏膂之脈其氣上行九日出於缺盆之中其氣日高故作日益早也其間日發者由邪氣內薄於五藏横連募膜一作原也其道遠其氣深其行遲不能與衛氣俱行不得皆出故間日乃作也帝曰夫子言衛氣每至於風府腠理乃發發則邪氣入入則病作今衛氣日下一節其氣之發也不當風府其日作者奈何岐伯曰此邪氣客於頭項循膂而下者也故虛實不同邪中異所則不得當其風府也故邪中於頭項者氣至頭項而病中於背者氣至背而病中於腰脊者氣至腰脊而病中

於手足者氣至手足而病衛氣之所在與邪氣相合則病作故風無常府衛氣之所發必開其腠理邪氣之所合則其府也帝曰善夫風之與瘧也相似同類而風獨常在瘧得有時而休者何也岐伯曰風氣留其處故常在瘧氣隨經絡沉以内薄故衛氣應乃作帝曰瘧先寒而後熱者何也岐伯曰夏傷於大暑其汗大出腠理開發因遇夏氣凄滄之水寒藏於腠理皮膚之中秋傷於風則病成矣夫寒者陰氣也風者陽氣也先傷於寒而後傷於風故先寒而後熱也病以時作名曰寒瘧帝曰先熱而後寒者何也岐伯曰此先傷於風而後傷於寒故先熱而後寒也亦以時作名曰温瘧其但熱而不寒

者陰氣先絶陽氣獨發則少氣煩寃手足熱而欲嘔名
曰癉瘧帝曰夫經言有餘者寫之不足者補之今熱爲
有餘寒爲不足夫瘧者之寒湯火不能温也及其熱冰
水不寒也此皆有餘不足之類當此之時良工不能止
必須其自衰乃刺之其故何也願聞其説岐伯曰經言
無刺熇熇之熱無刺渾渾之脉無刺漉漉之汗故爲其
病逆未可治也夫瘧之始發也陽氣并於陰當是之時
陽虚而陰盛外無氣故先寒慄也陰氣逆極則復出之
陽陽與陰復并於外則陰虚而陽實故先熱而渴夫瘧
氣者并於陽則陽勝并於陰則陰勝陰勝則寒陽勝則
熱瘧者風寒之不常也病極則復至病之發也如火之

熱如風雨不可當也故經言曰方其盛時必毀因其衰也事必大昌此之謂也夫瘧之未發也陰未并陽陽未并陰因而調之眞氣得安邪氣乃亡故工不能治其已發爲其氣逆也帝曰善攻之柰何早晏如何岐伯曰瘧之且發也陰陽之且移也必從四末始也陽已傷陰從之故先其時堅束其處令邪氣不得入陰氣不得出審候見之在孫絡盛堅而血者皆取之此眞一作其又作直往而未得并者也帝曰瘧不發其應何如岐伯曰瘧氣者必更盛更虛當氣之所在也病在陽則熱而脉躁在陰則寒而脉靜極則陰陽俱衰衛氣相離故病得休衛氣集則復病也帝曰時有間二日或至數日發或渴或不渴

其故何也岐伯曰其間日者邪氣與衛氣客於六府而有時相失不能相得故休數日乃作也瘧者陰陽更勝也或甚或不甚故或渴或不渴帝曰論言夏傷於暑秋必病瘧今瘧不必應者何也岐伯曰此應四時者也其病異形者反四時也其以秋病者寒甚以冬病者寒不甚以春病者惡風以夏病者多汗帝曰夫病溫瘧與寒瘧而皆安舍舍於何藏岐伯曰溫瘧得之冬中於風寒氣藏於骨髓之中至春則陽氣大發邪氣不能自出因遇大暑腦髓爍肌肉消腠理發泄或有所用力邪氣與汗皆出此病藏於腎其氣先從內出之於外也如是者陰虛而陽盛陽盛則熱矣衰則氣復反入入則陽虛陽

虛則寒矣故先熱而後寒名曰温瘧帝曰癉瘧何如岐伯曰癉瘧者肺素有熱氣盛於身厥逆上衝中氣實而不外泄因有所用力腠理開風寒舍於皮膚之内分肉之間而發發則陽氣盛陽氣盛而不衰則病矣其氣不及於陰故但熱而不寒氣内藏於心而外舍於分肉之間令人消爍脱肉故命曰癉瘧帝曰善

刺瘧篇第三十六

足太陽之瘧令人腰痛頭重寒從背起先寒後熱熇熇暍暍然熱止汗出難已刺郄一作膕中出血足少陽之瘧令人身體解㑊寒不甚熱不甚惡見人見人心惕惕然熱多汗出甚刺足少陽足陽明之瘧令人先寒洒淅洒

淅寒甚久乃熱熱去汗出喜見日月光火氣乃快然刺足陽明跗上足太陰之瘧令人不樂好大息不嗜食多寒熱汗出病至則善嘔嘔已乃衰即取之足少陰之瘧令人嘔吐甚多寒熱熱多寒少欲閉戶牖而處其病難已足厥陰之瘧令人腰痛少腹滿小便不利如癃狀非癃也數便意（二字只作噫字）恐懼氣不足腹中悒悒刺足厥陰肺瘧者令人心寒寒甚熱熱間善驚如有所見者刺手太陰陽明心瘧者令人煩心甚欲得清水反寒多不甚熱刺手少陰肝瘧者令人色蒼蒼然太息其狀若死者刺足厥陰見血脾瘧者令人寒腹中痛熱則腸中鳴鳴已汗出刺足太陰腎瘧者令人洒洒然腰脊痛宛轉大

便難目眴眴然手足寒刺足太陽少陰胃瘧者令人且病也善饑而不能食食而支滿腹大刺足陽明太陰橫脉出血瘧發身方熱刺跗上動脉開其空出其血立寒瘧方欲寒刺手陽明太陰足陽明太陰瘧脉滿大急刺背俞用中針傍五胠俞各一適肥瘦出其血也瘧脉小實急灸經少陰刺指井瘧脉滿大急刺背俞用五胠俞背俞各一適行於血也瘧脉緩大虛便用藥不宜用針凡治瘧先發如食頃乃可以治過之則失時也諸瘧而脉不見刺十指間出血血去必已先視身之赤如小豆者盡取之十二瘧者其發各不同時察其病形以知其何脉之病也先其發時如食頃而刺之一刺則衰二刺

則知三刺則已不已刺舌下兩脉出血不已刺郄中盛經出血又刺項已下俠脊者必已舌下兩脉者廉泉也

刺瘧者必先問其病之所先發者先刺之先頭痛及重者先刺頭上及兩額兩眉間出血先項背痛者先刺之先腰脊痛者先刺郄中出血先手臂痛者先刺手少陰陽明十指間先足脛痠痛者先刺足陽明十指間出血

風瘧瘧發則汗出惡風刺三陽經背俞之血者胻痠痛甚按之不可名曰胕髓病以鑱針針絶骨出血立已身體小痛刺至陰（疑二字衍）諸陰之井無出血間日一刺瘧不渴間日而作刺足太陽渴而間日作刺足少陽溫瘧汗不出爲五十九刺

氣厥論篇第三十七

黃帝問曰五藏六府寒熱相移者何岐伯曰腎移寒於肝癰腫少氣脾移寒於肝癰腫筋攣肝移寒於心狂隔中心移寒於肺肺消肺消者飲一溲二死不治肺移寒於腎爲涌水涌水者按腹不堅水氣客於大腸疾行則鳴濯濯如囊裹漿水之病也脾移熱於肝則爲驚衄肝移熱於心則死心移熱於肺傳爲鬲消肺移熱於腎傳爲柔痓腎移熱於脾傳爲虛腸澼死不可治胞移熱於膀胱則癃溺血膀胱移熱於小腸鬲腸不便上爲口糜小腸移熱於大腸爲虙瘕爲沉大腸移熱於胃善食而瘦入謂之食亦胃移熱於膽亦曰食亦膽移熱於腦則

辛頞鼻淵鼻淵者濁涕下不止也傳爲衄衊瞑目故得之氣厥也

欬論篇第三十八

黃帝問曰肺之令人欬何也岐伯對曰五藏六府皆令人欬非獨肺也帝曰願聞其狀岐伯曰皮毛者肺之合也皮毛先受邪氣邪氣以從其合也其寒飲食入胃從肺脉上至於肺則肺寒肺寒則外内合邪因而客之則爲肺欬五藏各以其時受病非其時各傳以與之人與天地相參故五藏各以治時感於寒則受病微則爲欬甚者爲泄爲痛乘秋則肺先受邪乘春則肝先受之乘夏則心先受之乘至陰則脾先受之乘冬則腎先受之

帝曰何以異之歧伯曰肺欬之狀欬而喘息有音甚則唾血心欬之狀欬則心痛喉中介介如梗狀甚則咽腫喉痺肝欬之狀欬則兩脇下痛甚則不可以轉轉則兩胠下滿脾欬之狀欬則右胠下痛陰陰引肩背甚則不可以動動則欬劇腎欬之狀欬則腰背相引而痛甚則欬涎帝曰六府之欬柰何安所受病歧伯曰五藏之久欬乃移於六府脾欬不已則胃受之胃欬之狀欬而嘔嘔甚則長蟲出肝欬不已則膽受之膽欬之狀欬嘔膽汁肺欬不已則大腸受之大腸欬狀欬而遺失心欬不已則小腸受之小腸欬狀欬而失氣氣與欬俱失腎欬不已則膀胱受之膀胱欬狀欬而遺溺久欬不已則三

焦受之三焦欬狀欬而腹滿不欲食飲此皆聚於胃關於肺使人多涕唾而面浮腫氣逆也帝曰治之柰何岐伯曰治藏者治其俞治府者治其合浮腫者治其經帝曰善

黄帝内經素問卷之五

黃帝內經素問卷之六

舉痛論篇第三十九

黃帝問曰：余聞善言天者必有驗於人，善言古者必有合於今，善言人者必有厭於已。如此則道不惑而要數極，所謂明明也。今余問於夫子，令言而可知，視而可見，捫而可得，令驗於已，如發蒙解惑，可得而聞乎？岐伯再拜稽首對曰：何道之問也？帝曰：願聞人之五藏卒痛，何氣使然？岐伯對曰：經脉流行不止，環周不休，寒氣入經而稽遲，泣（音澀）而不行，客於脉外則血少，客於脉中則氣不通，故卒然而痛。帝曰：其痛或卒然而止者，或痛甚不休者，或痛甚不可按者，或按之而痛止者，或按之無益者或喘動應手者或心與背相引而痛者或脇肋與少腹相引而痛者或腹痛引陰股者或痛宿昔而成積者或卒然痛死不知人少間復生者或痛而嘔者或腹痛而後泄者或痛而閉不通者凡此諸痛各不同形別之柰何岐伯曰寒氣客於脉外則脉寒脉寒則縮踡縮踡則脉絀急絀急則外引小絡故卒然而痛得炅（古惠反煙出皃）則痛立止因重中於寒則痛久矣寒氣客於經脉之中與炅氣相薄則脉滿滿則痛而不可按也寒氣稽留炅氣從上則脉充大而血氣亂故痛甚不可按也寒氣客於腸胃之間膜原之下血不得散小絡急引故痛按之則血氣散故按之痛止寒氣客於俠脊之脉則深按之

不能及故按之無益也寒氣客於衝脉衝脉起於關元隨腹直上寒氣客則脉不通脉不通則氣因之故喘動應手矣寒氣客於背俞之脉則脉泣脉泣則血虚血虚則痛其俞注於心故相引而痛按之則熱氣至熱氣至則痛止矣寒氣客於厥陰之脉厥陰之脉者絡陰器繫於肝寒氣客於脉中則血泣脉急故脇肋與少腹相引痛矣厥氣客於陰股寒氣上及少腹血泣在下相引故腹痛引陰股寒氣客於小腸膜原之間絡血之中血泣不得注於大經血氣稽留不得行故宿昔而成積矣寒氣客於五藏厥逆上泄陰氣竭陽氣未入故卒然痛死不知人氣復反則生矣寒氣客於腸胃厥逆上出故

痛而嘔也寒氣客於小腸小腸不得成聚故後泄腹痛矣熱氣留於小腸腸中痛癉熱焦渴則堅乾不得出故痛而閉不通矣帝曰所謂言而可知者也視而可見柰何岐伯曰五藏六府固盡有部視其五色黃赤爲熱白爲寒青黑爲痛此所謂視而可見者也帝曰捫而可得柰何岐伯曰視其主病之脉堅而血及陷下者皆可捫而得也帝曰善余知百病生於氣也怒則氣上喜則氣緩悲則氣消恐則氣下寒則氣收炅則氣泄驚一作憂則氣亂勞則氣耗思則氣結九氣不同何病之生岐伯曰怒則氣逆甚則嘔血及飧泄故氣上矣喜則氣和志達榮衛通利故氣緩矣悲則心系急肺布葉舉而上焦不

通榮衛不散熱氣在中故氣消矣恐則精却却則上焦閉閉則氣還還則下焦脹故氣不行矣寒則腠理閉氣不行故氣收矣炅則腠理開榮衛通汗大泄故氣泄矣驚則心無所倚神無所歸慮無所定故氣亂矣勞則喘且汗出外内皆越故氣耗矣思則心有所存神有所歸正氣留而不行故氣結矣

腹中論篇第四十

黄帝問曰有病心腹滿旦食則不能暮食此爲何病岐伯對曰名爲鼓脹帝曰治之柰何岐伯曰治之以雞矢醴一劑知二劑已帝曰其時有復發者何也岐伯曰此飲食不節故時有病也雖然其病且已時故當病氣聚

於腹也帝曰有病胷脇支滿者妨於食病至則先聞腥臊臭出清液先唾血四支清目眩時時前後血病名爲何何以得之岐伯曰病名血枯此得之年少時有所大脱血若醉入房中氣竭肝傷故月事衰少不來也帝曰治之柰何復以何術岐伯曰以四烏鰂骨一藘茹二物幷合之丸以雀卵大如小豆以五丸爲後飯飲以鮑魚汁利腸（一作傷）中及傷肝也帝曰病有少腹盛上下左右皆有根此爲何病可治不岐伯曰病名曰伏梁何因而得之岐伯曰裹大膿血居腸胃之外不可治治之每切按之致死帝曰何以然岐伯曰此下則因陰必下膿血上則迫胃脘生鬲俠胃脘内癰此久病也難治居齊（作臍）

上爲逆居齊下爲從勿動亟奪論在刺法中今經亡帝曰人有身體髀音陛股䯒皆腫環齊而痛是爲何病岐伯曰病名伏梁此風根也其氣溢於大腸而著於肓音荒肓之原在齊下故環齊而痛也不可動之動之爲水溺濇之病帝曰夫子數言熱中消中不可服高梁芳草石藥石藥發瘨芳草發狂夫熱中消中者皆富貴人也今禁高梁是不合其心禁芳草石藥是病不愈願聞其說岐伯曰夫芳草之氣美石藥之氣悍二者其氣急疾堅勁故非緩心和人不可以服此二者帝曰不可以服此二者何以然岐伯曰夫熱氣慓悍藥氣亦然二者相遇恐內傷脾脾者土也而惡木服此藥者至甲乙日更論帝曰

善有病膺腫頸痛胷滿腹脹此爲何病何以得之岐伯曰名厥逆帝曰治之柰何岐伯曰灸之則瘖石之則狂須其氣并乃可治也帝曰何以然岐伯曰陽氣重上有餘於上灸之則陽氣入陰入則瘖石之則陽氣虛虛則狂須其氣并而治之可使全也帝曰善何以知懷子之且生也岐伯曰身有病而無邪脉也帝曰病熱而有所痛者何也岐伯曰病熱者陽脉也以三陽之動也人迎一盛少陽二盛太陽三盛陽明入陰也夫陽入於陰故病在頭與腹乃䐜脹而頭痛也帝曰善

刺腰痛篇第四十一

足太陽脉令人腰痛引項脊尻背如重狀刺其郄中太

陽正經出血春無見血少陽令人腰痛加以針刺其皮中循循然不可以俛仰不可以顧刺少陽成骨之端出血成骨在膝外廉之骨獨起者夏無見血陽明令人腰痛不可以顧顧如有見者善悲刺陽明於胻前三痏上下和之出血秋無見血足少陰令人腰痛痛引脊內廉刺少陰於內踝上二痏春無見血出血太多不可復也厥陰之脉令人腰痛腰中如張弓弩弦刺厥陰之脉在腨踵魚腹之外循之累累然乃刺之其病令人善言嘿嘿然不慧刺之三痏解脉令人腰痛痛而引肩目䀮䀮然時遺溲刺解脉在膝筋肉分間郄外廉之橫脉出血血變而止解脉令人腰痛如引帶常如折腰狀善恐作一

恐
刺解脉在郄中結絡如黍米刺之血射以黒見赤血
而已同陰之脉令人腰痛痛如小錘居其中怫然腫刺
同陰之脉在外踝上絶骨之端爲三痏陽維之脉令人
腰痛痛上怫然腫刺陽維之脉脉與太陽合腨下間去
地一尺所衡絡之脉令人腰痛不可以俛仰仰則恐仆得
之舉重傷腰衡絡絶惡血歸之刺之在郄陽筋之間上
郄數寸衡居爲二痏出血會陰之脉令人腰痛痛上漯
漯然汗出汗乾令人欲飲飲已欲走刺直陽之脉上三
痏在蹻上郄下五寸横居視其盛者出血飛陽之脉令
人腰痛痛上怫怫然甚則悲以恐刺飛陽之脉在内踝
上五寸少陰之前與陰維之會昌陽之脉令人腰痛痛

引脊目𥇣𥇣然甚則反折舌卷不能言刺内筋爲二痏在内踝上大筋前太陰後上踝二寸所散脉令人腰痛而熱熱甚生煩腰下如有横木居其中甚則遺溲刺散脉在膝前骨肉分間絡外廉束脉爲三痏肉里之脉令人腰痛不可以欬欬則筋縮急刺肉里之脉爲二痏在太陽之外少陽絶骨之後一作前腰痛俠脊而痛至頭几几音殊然目𥇣𥇣欲僵仆刺足太陽郄中出血腰痛上寒刺足太陽陽明上熱刺足厥陰不可以俛仰刺足少陽中熱而喘刺足少陰刺郄中出血腰痛上寒不可顧刺足陽明上熱刺足太陰中熱而喘刺足少陰大便難刺足少陰少腹滿刺足厥陰如折不可以俛仰不可舉刺

足太陽引脊内廉刺足少陰腰痛引少腹控䏚不可以仰刺腰尻交者兩髁胂上以月生死爲痏數發鍼立已左取右右取左

風論篇第四十二

黃帝問曰風之傷人也或爲寒熱或爲熱中或爲寒中或爲癘風或爲偏枯或爲風也其病各異其名不同或内至五藏六府不知其解願聞其説岐伯對曰風氣藏於皮膚之間内不得通外不得泄風者善行而數變腠理開則洒然寒閉則熱而悶其寒也則衰食飲其熱也則消肌肉故使人怢慄而不能食名曰寒熱風氣與陽明入胃循脉而上至目内眥其人肥則風氣不得外泄

則爲熱中而目黃人瘦則外泄而寒則爲寒中而泣出
風氣與太陽俱入行諸脉俞散於分肉之間與衛氣相
干其道不利故使肌肉憤䐜而有瘍衛氣有所凝而不
行故其肉有不仁也癘者有榮衛熱胕其氣不清故使
鼻柱壞而色敗皮膚瘍潰風寒客於脉而不去名曰癘
風或名曰寒熱以春甲乙傷於風者爲肝風以夏丙丁
傷於風者爲心風以季夏戊己傷於邪者爲脾風以秋
庚辛中於邪者爲肺風以冬壬癸中於邪者爲腎風風
中五藏六府之俞亦爲藏府之風各入其門戶所中則
爲偏風風氣循風府而上則爲腦風風入係頭則爲目
風眼寒飲酒中風則爲漏風入房汗出中風則爲内風

新沐中風則爲首風久風入中則爲腸風飧泄外在腠理則爲泄風故風者百病之長也至其變化乃爲他病也無常方然致一作故有風氣也帝曰五藏風之形狀不同者何願聞其診及其病能岐伯曰肺風之狀多汗惡風色皏然白時欬短氣晝日則差暮則甚診在眉上其色白心風之狀多汗惡風焦絶善怒嚇赤色病甚則言不可快診在口其色赤肝風之狀多汗惡風善悲色微蒼嗌乾善怒時憎女子診在目下其色青脾風之狀多汗惡風身體怠墯四支不欲動色薄微黄不嗜食診在鼻上其色黄腎風之狀多汗惡風面痝然浮腫脊痛不能正立其色炲隱曲不利診在肌上其色黑胃風之狀

頭多汗惡風食飲不下鬲塞不通腹善滿失衣則䐜脹
食寒則泄診形瘦而腹大首風之狀頭面多汗惡風當
先風一日則病甚頭痛不可以出內至其風日則病少
愈漏風之狀或多汗常不可單衣食則汗出甚則身汗
喘息惡風衣常濡口乾善渴不能勞事泄風之狀多汗
汗出泄衣上口中乾上漬其風不能勞事身體盡痛則
寒帝曰善

痺論篇第四十三

黃帝問曰痺之安生岐伯對曰風寒濕三氣雜至合而
爲痺也其風氣勝者爲行痺寒氣勝者爲痛痺濕氣勝
者爲著痺也帝曰其有五者何也岐伯曰以冬遇此者

爲骨痺以春遇此者爲筋痺以夏遇此者爲脉痺以至陰遇此者爲肌痺以秋遇此者爲皮痺帝曰内舍五藏六府何氣使然岐伯曰五藏皆有合病久而不去者内舍於其合也故骨痺不已復感於邪内舍於腎筋痺不已復感於邪内舍於肝脉痺不已復感於邪内舍於心肌痺不已復感於邪内舍於脾皮痺不已復感於邪内舍於肺所謂痺者各以其時重感於風寒濕之氣也凡痺之客五藏者肺痺者煩滿喘而嘔心痺者脉不通煩則心下鼓暴上氣而喘嗌乾善噫厥氣上則恐肝痺者夜臥則驚多飲數小便上爲引如懷腎痺者善脹尻以代踵脊以代頭脾痺者四支解墯發欬嘔汁上爲大塞

腸痺者數飲而出不得中氣喘爭時發飧泄胞痺者少腹膀胱按之內痛若沃以湯濇於小便上爲清涕陰氣者靜則神藏躁則消亡飲食自倍腸胃乃傷淫氣喘息痺聚在肺淫氣憂思痺聚在心淫氣遺溺痺聚在腎淫氣乏竭痺聚在肝淫氣肌絶痺聚在脾諸痺不已亦益內也其風氣勝者其人易已也帝曰痺其時有死者或疼久者或易已者其故何也岐伯曰其入藏者死其留連筋骨間者疼久其留皮膚間者易已帝曰其客於六府者何也岐伯曰此亦其食飲居處爲其病本也六府亦各有俞風寒濕氣中其俞而食飲應之循俞而入各舍其府也帝曰以鍼治之柰何岐伯曰五藏有俞六府

有合循脉之分各有所發各隨(一作治)其過則病瘳也帝曰榮衛之氣亦令人痹乎岐伯曰榮者水穀之精氣也和調於五藏灑陳於六府乃能入於脉也故循脉上下貫五藏絡六府也衛者水穀之悍氣也其氣慓疾滑利不能入於脉也故循皮膚之中分肉之間熏於肓膜散於胷腹逆其氣則病從其氣則愈不與風寒濕氣合故不爲痹帝曰善痹或痛或不痛或不仁或寒或熱或燥或濕其故何也岐伯曰痛者寒氣多也有寒故痛也其不痛不仁者病久入深榮衛之行濇經絡時踈故不通皮膚不營故爲不仁其寒者陽氣少陰氣多與病相益故寒也其熱者陽氣多陰氣少病氣勝陽遭(一作乘)陰故

爲痺熱其多汗而濡者此爲逢濕甚也陽氣少陰氣盛兩氣相感故汗出而濡也帝曰夫痺之爲病不痛何也歧伯曰痺在於骨則重在於脉則血凝而不流在於筋則屈不伸在於肉則不仁在於皮則寒故具此五者則不痛也凡痺之類逢寒則蟲一作急逢熱則縱帝曰善

痿論篇第四十四

黃帝問曰五藏使人痿何也歧伯對曰肺主身之皮毛心主身之血脉肝主身之筋膜脾主身之肌肉腎主身之骨髓故肺熱葉焦則皮毛虛弱急薄著則生痿躄也心氣熱則下脉厥而上上則下脉虛虛則生脉痿樞折挈脛縱而不任地也肝氣熱則膽泄口苦筋膜乾筋膜

乾則筋急而攣發爲筋痿脾氣熱則胃乾而渴肌肉不仁發爲肉痿腎氣熱則腰脊不舉骨枯而髓減發爲骨痿帝曰何以得之歧伯曰肺者藏之長也爲心之盖也有所失亡所求不得則發肺鳴鳴則肺熱葉焦故曰五藏因肺熱葉焦發爲痿躄此之謂也悲哀大甚則胞一作包又作肌絡絶胞絡絶則陽氣内動發則心下崩數溲血也故本病曰大經空虚發爲肌痹傳爲脉痿思想無窮所願不得意淫於外入房大甚宗筋弛縱發爲筋痿及爲白淫故下經曰筋痿者生於肝使内也有漸於濕以水爲事若有所留居處相濕肌肉濡漬痹而不仁發爲肉痿故下經曰肉痿者得之濕地也有所遠行勞倦逢大

熱而渴渴則陽氣內伐內伐則熱舍於腎腎者水藏也今水不勝火則骨枯而髓虛故足不任身發爲骨痿故下經曰骨痿者生於大熱也帝曰何以別之岐伯曰肺熱者色白而毛敗心熱者色赤而絡脉溢肝熱者色蒼而爪枯脾熱者色黃而肉蠕動腎熱者色黑而齒槁帝曰如夫子言可矣論言治痿者獨取陽明何也岐伯曰陽明者五藏六府之海主潤宗筋宗筋主束骨而利機關也衝脉者經脉之海也主滲灌谿谷與陽明合於宗筋陰陽總宗筋之會會於氣街而陽明爲之長皆屬於帶脉而絡於督脉故陽明虛則宗筋縱帶脉不引故足痿不用也帝曰治之奈何岐伯曰各補其滎而通其俞

調其虛實和其逆順筋脉骨肉各以其時受月則病已矣帝曰善

厥論篇第四十五

黃帝問曰厥之寒熱者何也歧伯對曰陽氣衰於下則爲寒厥陰氣衰於下則爲熱厥帝曰熱厥之爲熱也必起於足下者何也歧伯曰陽氣起於足五指之表陰脉者集於足下而聚於足心故陽氣勝則足下熱也帝曰寒厥之爲寒也必從五指而上於膝者何也歧伯曰陰氣起於五指之裏集於膝下而聚於膝上故陰氣勝則從五指至膝上寒其寒也不從外皆從内也帝曰寒厥何失而然也歧伯曰前陰者宗筋之所聚太陰陽明之

所合也春夏則陽氣多而陰氣少秋冬則陰氣盛而陽氣衰此人者質壯以秋冬奪於所用下氣上爭不能復精氣溢下邪氣因從之而上也氣因於中陽氣衰不能滲營其經絡陽氣日損陰氣獨在故手足爲之寒也帝曰熱厥何如而然也岐伯曰酒入於胃則絡脉滿而經脉虛脾主爲胃行其津液者也陰氣虛則陽氣入陽氣入則胃不和胃不和則精氣竭精氣竭則不營其四支也此人必數醉若飽以入房氣聚於脾中不得散酒氣與穀氣相薄熱盛於中故熱遍於身內熱而溺赤也夫酒氣盛而慓悍腎氣日衰陽氣獨勝故手足爲之熱也帝曰厥或令人腹滿或令人暴不知人或至半日遠至

一日乃知人者何也岐伯曰陰氣盛於上則下虛下虛
則腹脹滿陽氣盛於上則下氣重上而邪氣逆逆則陽
氣亂陽氣亂則不知人也帝曰善願聞六經脉之厥狀
病能也岐伯曰巨陽之厥則腫首頭重足不能行發爲
眴音縣仆陽明之厥則癲疾欲走呼腹滿不得臥面赤而
熱妄見而妄言少陽之厥則暴聾頰腫而熱脇痛胻不
可以運太陰之厥則腹滿䐜脹後不利不欲食食則嘔
不得臥少陰之厥則口乾溺赤腹滿心痛厥陰之厥則
少腹腫痛腹脹涇溲不利好臥屈膝陰縮腫胻內熱盛
則寫之虛則補之不盛不虛以經取之太陰厥逆胻急
攣心痛引腹治主病者少陰厥逆虛滿嘔變下泄清治

主病者厥陰厥逆攣腰痛虛滿前閉譫言治主病者三陰俱逆不得前後使人手足寒三日死太陽厥逆僵仆嘔血善衄治主病者少陽厥逆機關不利機關不利者腰不可以行項不可以顧發腸癰不可治驚者死陽明厥逆喘欬身熱善驚衄嘔血手太陰厥逆虛滿而欬善嘔沫治主病者手心主少陰厥逆心痛引喉身熱死不可治手太陽厥逆耳聾泣出項不可以顧腰不可以俛仰治主病者手陽明少陽厥逆發喉痺嗌腫痓治主病者

黄帝内經素問卷之六

黃帝內經素問卷之七

病能論篇第四十六

黃帝問曰人病胃脘癰者診當何如歧伯對曰診此者當候胃脉其脉當沉細沉細者氣逆逆者人迎甚盛甚盛則熱人迎者胃脉也逆而盛則熱聚於胃口而不行故胃脘為癰也帝曰善人有臥而有所不安者何也歧伯曰藏有所傷及精有所之寄則安故人不能懸其病也帝曰人之不得偃臥者何也歧伯曰肺者藏之蓋也肺氣盛則脉大脉大則不得偃臥論在奇恒陰陽中奇恒陰陽篇已今闕帝曰有病厥者診右脉沉而緊左脉浮而遲不然一作安病主安在歧伯曰冬診之右脉固當沉緊此應

四時左脉浮而遲此逆四時在左當主病在腎頗關在肺當腰痛也帝曰何以言之岐伯曰少陰脉貫腎絡肺今得肺脉腎爲之病故腎爲腰痛之病也帝曰善有病頸癰者或石治之或鍼灸治之而皆已其眞安在岐伯曰此同名異等者也夫癰氣之息者宜以鍼開除去之夫氣盛血聚者宜石而寫之此所謂同病異治也帝曰有病怒狂一作善怒者此病安生岐伯曰生於陽也帝曰陽何以使人狂岐伯曰陽氣者因暴折而難決故善怒也病名曰陽厥帝曰何以知之岐伯曰陽明者常動巨陽少陽不動不動而動大疾此其候也帝曰治之奈何岐伯曰奪其食即已夫食入於陰長氣於陽故奪其食即

已使之服以生鐵洛鐵液爲飲夫生鐵洛者下氣疾也帝曰善有病身熱解墮汗出如浴惡風少氣此爲何病岐伯曰病名曰酒風帝曰治之柰何岐伯曰以澤瀉朮各十分麋銜五分合以三指撮爲後飯所謂深之細者其中手如鍼也摩之切之聚者堅也博者大也上經者言氣之通天也下經者言病之變化也金匱者決死生也揆度者切度之也奇恒者言奇病也所謂奇者使奇病不得以四時死也恒者得以四時死也所謂揆者方切求之也言切求其脉理也度者得其病處以四時度之也

奇病論篇第四十七

黃帝問曰人有重身九月而瘖此爲何也岐伯對曰胞之絡脉絶也帝曰何以言之岐伯曰胞絡者繫於腎少陰之脉貫腎繫舌本故不能言帝曰治之柰何岐伯曰無治也當十月復刺法曰無損不足益有餘以成其疹然後調之（此句疑衍）所謂無損不足者身羸瘦無用鑱石也無益其有餘者腹中有形而泄之泄之則精出而病獨擅中故曰疹成也帝曰病脇下滿氣逆二三歲不已是爲何病岐伯曰病名曰息積此不妨於食不可灸刺積爲導引服藥藥不能獨治也帝曰人有身體髀股胻皆腫環齊而痛是爲何病岐伯曰病名曰伏梁此風根也其氣溢於大腸而著於肓肓之原在齊（並與臍同）下故環齊

而痛也不可動之動之爲水溺濇之病也帝曰人有尺脉數甚筋急而見此爲何病歧伯曰此所謂疹筋是人腹必急白色黑色見則病甚帝曰人有病頭痛以數歲不已此安得之名爲何病歧伯曰當有所犯大寒內至骨髓髓者以腦爲主腦逆故令頭痛齒亦痛病名曰厥逆帝曰善帝曰有病口甘者病名爲何何以得之歧伯曰此五氣之溢也名曰脾癉夫五味入口藏於胃脾爲之行其精氣津液在脾故令人口甘也此肥美之所發也此人必數食甘美而多肥也肥者令人內熱甘者令人中滿故其氣上溢轉爲消渴治之以蘭除陳氣也帝曰有病口苦取陽陵泉口苦六字疑誤者病名爲何何以得

之岐伯曰病名曰膽癉夫肝者中之將也取決於膽咽爲之使此人者數謀慮不決故膽虚氣上溢而口爲之苦治之以膽募俞治在陰陽十二官相使中言治法具于彼篇今經亡帝曰有癃者一日數十溲此不足也身熱如炭頸膺如格人迎躁盛喘息氣逆此有餘也太陰脉細微如髮者此不足也其病安在名爲何病岐伯曰病在太陰其盛在胃頗在肺病名曰厥死不治此所謂得五有餘二不足也帝曰何謂五有餘二不足岐伯曰所謂五有餘者五病之氣有餘也二不足者亦病氣之不足也今外得五有餘内得二不足此其身不表不裏亦正死明矣帝曰人生而有病巔疾者病名曰何安所得之岐伯

曰病名爲胎病此得之在母腹中時其母有所大驚氣上而不下精氣并居故令子發爲巔疾也帝曰有病痝然如有水狀切其脉大緊身無痛者形不瘦不能食食少名爲何病歧伯曰病生在腎名爲腎風腎風而不能食善驚驚已心氣痿者死帝曰善

大奇論篇第四十八

肝滿腎滿肺滿皆實即爲腫肺之雍（一作癰下同）喘而兩胠滿肝雍兩胠滿臥則驚不得小便腎雍脚（一作胠）下至少腹滿脛有大小髀䯒大跛易偏枯心脉滿大癇瘛筋攣肝脉小急癇瘛筋攣肝脉驚暴有所驚駭脉不至若瘖不治自已腎脉小急肝脉小急心脉小急不鼓皆爲瘕

音假腹中久病腎肝并沉爲石水并浮爲風水并虛爲死并小弦欲驚腎脈大急沉肝脈大急沉皆爲疝心脈搏滑急爲心疝肺脈沉搏爲肺疝三陽急爲瘕三陰急爲疝二陰急爲癇音閑顛病厥二陽急爲驚脾脈外鼓沉爲腸澼久自已肝脈小緩爲腸澼易治腎脈小搏沉爲腸澼下血血溫身熱者死心肝澼亦下血二藏同病者可治其脈小沉濇爲腸澼其身熱者死熱見七日死胃脈沉鼓濇胃外鼓大心脈小堅急皆鬲偏枯男子發左女子發右不瘖舌轉可治三十日起其從者瘖三歲起年不滿二十者三歲死脈至而搏血衄身熱者死脈來懸鉤浮爲常脈脈至如喘名曰暴厥暴厥者不知與人言脈至如

數使人暴驚三四日自己脉至浮合浮合如數一息十至以上是經氣予不足也微見九十日死脉至如火薪然是心精之予奪也草乾而死脉至如散葉是肝氣予虛也木葉落而死脉至如省客省客者脉塞而鼓是腎氣予不足也懸去棗華而死脉至如丸泥是胃精予不足也榆莢落而死脉至如横格是膽氣予不足也禾熟而死脉至如弦縷是胞精予不足也病善言下霜而死不言可治脉至如交漆交漆者左右傍至也微見三十日死脉至如涌泉浮鼓肌中太陽氣予不足也少氣味韭英而死脉至如頹土之狀按之不得是肌氣予不足也五色先見黑白壘發死脉至如懸雍懸雍者浮揣切

之益大是十二俞之予不足也水凝而死脉至如偃刀偃刀者浮之小急按之堅大急五藏菀熟寒熱獨并於腎也如此其人不得坐立春而死脉至如丸滑不直手不直手者按之不可得也是大腸氣予不足也棗葉生而死脉至如華者令人善恐不欲坐臥行立常聽是小腸氣予不足也季秋而死

脉解篇第四十九

太陽所謂腫腰脽音誰痛者正月太陽寅寅太陽也正月陽氣出在上而陰氣盛陽未得自次也故腫腰脽痛也病偏虛爲跛者正月陽氣凍解地氣而出也所謂偏虛者冬寒頗有不足者故偏虛爲跛也所謂強上引背也

陽氣大上而爭故強上也所謂耳鳴者陽氣萬物盛上而躍故耳鳴也所謂甚則狂巔疾者陽盡在上而陰氣從下下虛上實故狂巔疾也所謂浮爲聾者皆在氣也所謂入中爲瘖者陽盛已衰故爲瘖也內奪而厥則爲瘖俳此腎虛也少陰不至者厥也少陽所謂心脇痛者言少陽盛也盛者心之所表也九月陽氣盡而陰氣盛故心脇痛也所謂不可反側者陰氣藏物也物藏則不動故不可反側也所謂甚則躍者九月萬物盡衰草木畢落而墮則氣去陽而之陰氣盛而陽之下長故謂躍陽明所謂洒洒振寒者陽明者午也五月盛陽之陰也陽盛而陰氣加之故洒洒振寒也所謂脛腫而股不收

者是五月盛陽之陰也陽者衰於五月而一陰氣上與陽始爭故脛腫而股不收也所謂上喘而爲水者陰氣下而復上則邪客於藏府間故爲水也所謂胷痛少氣者水氣在藏府也水者陰氣也陰氣在中故胷痛少氣也所謂甚則厥惡人與火聞木音則惕然而驚者陽氣與陰氣相薄水火相惡故惕然而驚也所謂欲獨閉戶牖而處者陰陽相薄也陽盡而陰盛故欲獨閉戶牖而居所謂病至則欲乘高而歌弃衣而走者陰陽復爭而外幷於陽故使之弃衣而走也所謂客孫脈則頭痛鼻鼽音求鼻塞腹腫者陽明幷於上上者則其孫絡太陰也故頭痛鼻鼽腹腫也太陰所謂病脹者太陰子也十一月

萬物氣皆藏於中故曰病脹所謂上走心爲噫者陰盛而上走於陽明陽明絡屬心故曰上走心爲噫也所謂食則嘔者物盛滿而上溢故嘔也所謂得後與氣則快然如衰者十一月陰氣下衰而陽氣且出故曰得後與氣則快然如衰也少陰所謂腰痛者少陰者腎也十月萬物陽氣皆傷故腰痛也所謂嘔欬上氣喘者陰氣在下陽氣在上諸陽氣浮無所依從故嘔咳上氣喘也所謂色色二字疑誤不能久立久坐起則目䀮䀮無所見者萬物陰陽不定未有主也秋氣始至微霜始下而方殺萬物陰陽內奪故目䀮䀮無所見也所謂少氣善怒者陽氣不治陽氣不治則陽氣不得出肝氣當治而未得故

善怒善怒者名曰煎厥所謂恐如人將捕之者秋氣萬物未有畢去陰氣少陽氣入陰陽相薄故恐也所謂惡聞食臭者胃無氣故惡聞實臭也所謂面黑如地色者秋氣內奪故變於色也所謂欬則有血者陽脉傷也陽氣未盛於上而脉滿滿則欬故血見於鼻也厥陰所謂癩疝婦人少腹腫者厥陰者辰也三月陽中之陰邪在中故曰癩疝少腹腫也所謂腰脊痛不可以俛仰者三月一振榮華萬物一俛而不仰也所謂癩癃疝膚脹者曰陰亦盛而脉脹不通故曰癩癃疝也所謂甚則嗌乾熱中者陰氣相薄而熱故嗌乾也

刺要論篇第五十

黃帝問曰願聞刺要岐伯對曰病有浮沉刺有淺深各至其理無過其道過之則內傷不及則生外壅壅則邪從之淺深不得反爲大賊內動五藏後生大病故曰病有在毫毛腠理者有在皮膚者有在肌肉者有在脉者有在筋者有在骨者有在髓者是故刺毫毛腠理無傷皮皮傷則內動肺肺動則秋病溫瘧泝泝然寒慄刺皮無傷肉肉傷則內動脾脾動則七十二日四季之月病腹脹煩不嗜食刺肉無傷脉脉傷則內動心心動則夏病心痛刺脉無傷筋筋傷則內動肝肝動則春病熱而筋弛刺筋無傷骨骨傷則內動腎腎動則冬病脹腰痛刺骨無傷髓髓傷則銷鑠胻酸體解㑊音亦然不去矣

刺齊論篇第五十一

黄帝問曰願聞刺淺深之分岐伯對曰刺骨者無傷筋刺筋者無傷肉刺肉者無傷脉刺脉者無傷皮刺皮者無傷肉刺肉者無傷筋刺筋者無傷骨帝曰余未知其所謂願聞其觧岐伯曰刺骨無傷筋者鍼至筋而去不及骨也刺筋無傷肉者至肉而去不及筋也刺肉無傷脉者至脉而去不及肉也刺脉無傷皮者至皮而去不及脉也所謂刺皮無傷肉者病在皮中鍼入皮中無傷肉也刺肉無傷筋者過肉中筋也刺筋無傷骨者過筋中骨也此謂之反也

刺禁論篇第五十二

黃帝問曰願聞禁數岐伯對曰藏有要害不可不察肝生於左肺藏於右心部於表腎治於裏脾謂之使胃爲之市鬲肓之上中有父母七節之傍中有小心從之有福逆之有咎刺中心一日死其動爲噫刺中肝五十死其動爲語刺中腎六日死其動爲嚏刺中肺三日死其動爲欬刺中脾十日死其動爲吞刺中膽一日半死其動爲嘔刺跗上中大脉血出不止死刺面中溜脉不幸爲盲刺頭中腦戶入腦立死刺舌下中脉太過血出不止爲瘖刺足下布絡中脉血不出爲腫刺郄中大脉令人仆脫色刺氣街中脉血不出爲腫鼠僕一作鼷刺脊間中髓爲傴刺乳上中乳房爲腫根蝕刺缺盆中內陷氣

泄令人喘欬逆刺手魚腹內陷爲腫無刺大醉令人氣
亂無刺大怒令人氣逆無刺大勞人無刺新飽人無刺
大饑人無刺大渴人無刺大驚人刺陰股中大脉血出
不止死刺客主人內陷中脉爲內漏爲聾刺膝髕出液
爲跛刺臂太陰脉出血多立死刺足少陰脉重虛出血
爲舌難以言刺膺中陷中肺爲喘逆仰息刺肘中內陷
氣歸之爲不屈伸刺陰股下三寸內陷令人遺溺刺掖
下脇間內陷令人欬刺少腹中膀胱溺出令人少腹滿
刺腨腸內陷爲腫刺匡上陷骨中脉爲漏爲盲刺關節
中液出不得屈伸

刺志論篇第五十三

黃帝問曰願聞虛實之要岐伯對曰氣實形實氣虛形虛此其常也反此者病穀盛氣盛穀虛氣虛此其常也反此者病脉實血實脉虛血虛此其常也反此者病帝曰如何而反岐伯曰氣虛身熱此謂反也氣盛身寒氣虛身熱此謂反也當補前句穀入多而氣少此謂反也穀不入而氣多此謂反也脉盛血少此謂反也脉少血多此謂反也氣盛身寒得之傷寒氣虛身熱得之傷暑穀入多而氣少者得之有所脫血濕居下也穀入少而氣多者邪在胃及與肺也脉少血多者飲中熱也脉大血少者脉有風氣水漿不入此之謂也夫實者氣入也虛者氣出也氣實者熱也氣虛者寒也入實者左手開鍼空也入虛者左手

閉鍼空也

鍼解篇第五十四

黃帝問曰願聞九鍼之解虛實之道岐伯對曰刺虛則實之者鍼下熱也氣實乃熱也滿而泄之者鍼下寒也氣虛乃寒也菀陳則除之者出惡血也邪盛則虛之者出鍼勿按徐而疾則實者徐出鍼而疾按之疾而徐則虛者疾出鍼而徐按之言實與虛者寒溫氣多少也若無若有者疾不可知也察後與先者知病先後也爲虛與實者工勿失其法若得若失者離其法也虛實之要九鍼最妙者爲其各有所宜也補寫之時者與氣開闔相合也九鍼之名各不同形者鍼窮其所當補寫也刺

實須其虚者留鍼陰氣隆至乃去鍼也刺虚須其實者陽氣隆至鍼下熱乃去鍼也經氣巳至愼守勿失者勿變更也淺深在志者知病之内外也近遠如一者深淺其候等也如臨深淵者不敢墮也手如握虎者欲其壯也神無營於衆物者靜志觀病人無左右視也義無邪下者欲端以正也必正其神者欲瞻病人目制其神令氣易行也所謂三里者下膝三寸也所謂跗之者舉膝分易見也巨虚者蹻足䯒獨陷者下廉者陷下者也帝曰余聞九鍼上應天地四時陰陽願聞其方令可傳於後世以爲常也歧伯曰夫一天二地三人四時五音六律七星八風九野身形亦應之鍼各有所宜故曰九鍼

人皮應天人肉應地人脉應人人筋應時人聲應音人陰陽合氣（一作度）應律人齒面目應星人出入氣應風人九竅三百六十五絡應野故一鍼皮二鍼肉三鍼脉四鍼筋五鍼骨六鍼調陰陽七鍼益精八鍼除風九鍼通九竅除三百六十五節氣此之謂各有所主也人心意應八風人氣應天人髮齒耳目五聲應五音六律人雲陽脉血氣應地人肝目應之九九竅三百六十五人一以觀動靜天二以候五色七星應之以候髮毋澤五音一以候宮商角徵羽六律有餘不足應之二地一以候高下有餘九野一節俞應之以候閉節三人變一分人候齒泄多血少十分角之變五分以候緩急六分不足

三分寒關節第九分四時人寒溫燥濕四時一應之以候相反一四方各作解

長刺節論篇第五十五

刺家不診聽病者言在頭頭疾痛爲藏鍼之刺至骨病已上無傷骨肉及皮皮者道也陰刺入一傍四處治寒熱深專者刺大藏迫藏刺背背俞也刺之迫藏藏會腹中寒熱去而止與刺之要發鍼而淺出血治腐腫者刺腐上視癰小大深淺刺刺大者多血小者深之必端內鍼爲故止病在少腹有積刺皮䯒以下至少腹而止刺俠脊兩傍四椎間刺兩髂髎（腰骨）季脇肋間導腹中氣熱下已病在少腹腹痛不得大小便病名曰疝得之寒刺

少腹兩股間刺腰髁骨間刺而多之盡炅病已病在筋
筋攣節痛不可以行名曰筋痺刺筋上為故刺分肉間
不可中骨也病起筋炅病已止病在肌膚肌膚盡痛名
曰肌痺傷於寒濕刺大分小分多發鍼而深之以熱為
故無傷筋骨傷筋骨癰發若變諸分盡熱病已止病在
骨骨重不可舉骨髓酸痛寒氣至名曰骨痺深者刺無
傷脉肉為故其道大分小分骨熱病已止病在諸陽脉
且寒且熱諸分且寒且熱曰狂刺之虛脉視分盡熱病
已止病初發歲一發不治月一發不治月四五發名為
癲病刺諸分諸脉其無寒者以鍼調之病已止病風且
寒且熱炅汗出一日數過先刺諸分理絡脉汗出且寒

且熱三日一刺百日而已病大風骨節重鬚眉墮名曰大風刺肌肉爲故汗出百日刺骨髓汗出百日凡二百日鬚眉生而止鍼

黄帝内經素問卷之七

黄帝内經素問卷之八

皮部論篇第五十六

黄帝問曰：余聞皮有分部，脉有經紀，筋有結絡，骨有度量，其所生病各異，别其分部，左右上下，陰陽所在，病之始終，願聞其道。岐伯對曰：欲知皮部以經脉爲紀者，諸經皆然。陽明之陽名曰害蜚，上下同法，視其部中有浮絡者，皆陽明之絡也。其色多青則痛，多黑則痹，黄赤則熱，多白則寒，五色皆見則寒熱也。絡盛則入客於經，陽主外，陰主内。少陽之陽名曰樞持，上下同法，視其部中有浮絡者，皆少陽之絡也。絡盛則入客於經，故在陽者主内，在陰者主出以滲於内，諸經皆然。太陽之陽名曰闕樞上下同法視其部中有浮絡者皆太陽之絡也絡盛則入客於經少陰之陰名曰樞儒一作檽上下同法視其部中有浮絡者皆少陰之絡也絡盛則入客於經其入經也從陽部注於經其出者從陰内注於骨心主之陰名曰害肩上下同法視其部中有浮絡者皆心主之絡也絡盛則入客於經太陰之陰名曰關蟄上下同法視其部中有浮絡者皆太陰之絡也絡盛則入客於經凡十二經絡脉者皮之部也是故百病之始生也必先於皮毛邪中之則腠理開開則入客於絡脉留而不去傳入於經留而不去傳入於府廪於腸胃邪之始入於皮也泝然起毫毛開腠理其入於絡也則絡脉盛色變

其入客於經也則感虛乃陷下其留於筋骨之間寒多則筋攣骨痛熱多則筋弛骨消肉爍䐃破毛直而敗帝曰夫子言皮之十二部其生病皆何如岐伯曰皮者脉之部也邪客于皮則腠理開開則邪入客於絡脉絡脉滿則注於經脉經脉滿則入舍於府藏也故皮者有分部不與而生大病也帝曰善

經絡論篇第五十七

黄帝問曰夫絡脉之見也其五色各異青黄赤白黒不同其故何也岐伯對曰經有常色而絡無常變也帝曰經之常色何如岐伯曰心赤肺白肝青脾黄腎黒皆亦應其經脉之色也帝曰絡之陰陽亦應其經乎岐伯曰

陰絡之色應其經陽絡之色變無常隨四時而行也寒
多則凝泣凝泣則青黑熱多則淖澤淖澤則黃赤此皆
常色謂之無病五色具見者謂之寒熱帝曰善

氣穴論篇第五十八

黃帝問曰余聞氣穴三百六十五以應一歲未知其所
願卒聞之岐伯稽首再拜對曰窘乎哉問也其非聖帝
孰能窮其道焉因請溢意盡言其處帝捧手逡巡而却
曰夫子之開余道也目未見其處耳未聞其數而目以
明耳以聰矣岐伯曰此所謂聖人易語良馬易御也帝
曰余非聖人之易語也世言真數開人意今余所訪問
者真數發蒙解惑未足以論也然余願聞夫子溢志盡

言其處今解其意請藏之金匱不敢復出岐伯再拜而
起曰臣請言之背與心相控而痛所治天突與十椎及
上紀上紀者胃脘也下紀者關元也背胸邪繫陰陽左
右如此其病前後痛濇胸脇痛而不得息不得臥上氣
短氣偏痛脉滿起斜出尻脉絡胸脇支心貫鬲上肩加
天突斜下肩交十椎下藏俞五十穴府俞七十二穴熱
俞五十九穴水俞五十七穴頭上五行行五五五二十
五穴中䏝兩傍各五凡十穴大椎上兩傍各一凡二穴
目瞳子浮白二穴兩髀厭分中二穴犢鼻二穴耳中多
所聞二穴眉本二穴完骨二穴項中央一穴枕骨二穴
上關二穴大迎二穴下關二穴天柱二穴巨虛上下廉

四穴曲牙二穴天突一穴天府二穴天牖二穴扶突二穴天窻二穴肩解二穴關元一穴委陽二穴肩貞二穴瘖門一穴齊一穴胷俞十二穴背俞二穴膺俞十二穴分肉二穴踝上横二穴陰陽蹻四穴水俞在諸分熱俞在氣穴寒熱俞在兩骸厭中二穴大禁二十五在天府下五寸凡三百六十五穴鍼之所由行也帝曰余已知氣穴之處遊針之居願聞孫絡谿谷亦有所應乎岐伯曰孫絡三百六十五穴會亦以應一歲以溢奇邪以通榮衛榮衛稽留衛散榮溢氣竭血著外爲發熱内爲少氣疾寫无怠以通榮衛見而寫之無問所會帝曰願聞谿谷之會也岐伯曰肉之大會爲谷肉之小會爲谿肉

分之間谿谷之會以行榮衛以會（一作舍）大氣邪溢氣壅脈熱肉敗榮衛不行必將爲膿內銷骨髓外破大膕留於節湊必將爲敗積寒留舍榮衛不居卷肉縮筋肋肘不得伸內爲骨痺外爲不仁命曰不足大寒留於谿谷也谿谷三百六十五穴會亦應一歲其小痺淫溢循脈往來微鍼所及與法相同帝乃辟左右而起再拜曰今日發蒙解惑藏之金匱不敢復出乃藏之金蘭之室署曰氣穴所在岐伯曰孫絡之脈別經者其血盛而當寫者亦三百六十五脈並注於絡傳注十二絡脈非獨十四絡脈也內解寫於中者十脈

氣府論篇第五十九

足太陽脈氣所發者七十八穴兩眉頭各一入髮至項三寸半傍五相去三寸其浮氣在皮中者凡五行行五五五二十五項中大筋兩傍各一風府兩傍各一俠背以下至尻苦高反尾二十一節十五間各一五藏之俞各五六府之俞各六委中以下至足小指傍各六俞足少陽脈氣所發者六十二穴兩角上各二直目上髮際内各五耳前角上各一耳前角下各一鋭髮下各一客主人各一耳後陷中各一下關各一耳下牙車之後各一缺盆各一掖下三寸脇下至胠八間各一髀樞中傍各一膝以下至足小指次指各六俞足陽明脈氣所發者六十八穴額顱髮際傍各三面鼽骨空各一大迎之骨

空各一人迎各一缺盆外骨空各一膺中骨間各一俠鳩尾之外當乳下三寸俠胃脘各五俠齊廣三寸各三下齊二寸俠之各三氣街動脉各一伏菟（音骨）上各一三里以下至足中指各八俞分之所在穴空手太陽脉氣所發者三十六穴目内眥各一目外各一鼽骨下各一耳郭上各一耳中各一巨骨穴各一曲掖上骨穴各一柱骨上陷者各一上天窻四寸各一肩解各一肩解下三寸各一肘以下至手小指本各六俞手陽明脉氣所發者二十二穴鼻空外廉項上各二大迎骨空各一柱骨之會各一髃骨之會各一肘以下至手大指次指本各六俞手少陽脉氣所發者三十二穴鼽骨下各下眉

後各一角上各一下完骨後各一項中足太陽之前各一俠扶突各一肩貞各一肩貞下三寸分間各一肘以下至手小指次指本各六俞督脉氣所發者二十八穴項中央二髮際後中八面中三大椎以下至尻尾及傍十五穴至骶下凡二十一節脊椎法也任脉之氣所發者二十八穴喉中央二膺中骨陥中各一鳩尾下三寸胃脘五寸胃脘以下至横骨六寸半一疑誤腹脉法也下陰别一目下各一下脣一齗交一衝脉氣所發者二十二穴俠鳩尾外各半寸至齊寸一俠齊下傍各五分至横骨寸一腹脉法也足少陰舌下厥陰毛中急脉各一手少陰各一陰陽蹻各一手足諸魚際脉氣所發者凡

三百六十五穴也

骨空論篇第六十

黃帝問曰余聞風者百病之始也以鍼治之柰何岐伯對曰風從外入令人振寒汗出頭痛身重惡寒治在風府調其陰陽不足則補有餘則寫大風頸項痛刺風府風府在上椎大風汗出灸譩譆音依熙譩譆在背下俠脊傍三寸所厭之令病者呼譩譆譩譆應手從風憎風刺眉頭失枕在肩上橫骨間折使揄臂齊肘正灸脊中眇絡季脇引少腹而痛脹刺譩譆腰痛不可以轉摇急引陰卵刺八髎與痛上八髎在腰尻分間鼠瘻寒熱還刺寒府寒府在附膝外解營取膝上外者使之拜取足心

者使之踠任脉者起於中極之下以上毛際循腹裏上關元至咽喉上頤循面入目六字疑衍衝脉者起於氣街並少陰之經俠齊上行至胷中而散任脉爲病男子内結七疝女子帶下瘕聚衝脉爲病逆氣裏急督脉爲病脊强反折督脉者起於少腹以下骨中央女子入繫廷孔其孔溺孔之端也其絡循陰器合篡間繞篡後別繞臀至少陰與巨陽中絡者合少陰上股内後廉貫脊屬腎與太陽起於目内眥上額交巔上入絡腦還出別下項循肩髆内俠脊抵腰中入循膂絡腎其男子循莖下至篡與女子等其少腹直上者貫齊中央上貫心入喉上順環脣上繫兩目之下中央此生病從少腹上衝心而

痛不得前後爲衝疝其女子不孕癃痔遺溺嗌乾督脉
生病治督脉治在骨上甚者在齊下營其上氣有音者
治其喉中央在缺盆中者其病上衝喉者治其漸漸者
上俠頤也蹇膝伸不屈治其楗坐而膝痛治其機立而
暑解治其骸關膝痛痛及拇指治其膕坐而膝痛如物
隱者治其關膝痛不可屈伸治其背內連胻若折治陽
明中俞髎若別治巨陽少陰滎淫濼脛痠不能久立治
少陽之維在外上五寸輔骨上橫骨下爲楗俠髖爲機
膝解爲骸關俠膝之骨爲連骸骸下爲輔輔上爲膕膕
上爲關頭橫骨爲枕水俞五十七穴者尻上五行行五
伏菟上兩行行五左右各一行行五踝上各一行行六

穴髓空在腦後五分在顱際銳骨之下一在斷基下一
在項後中復骨下一在脊骨上空在風府上脊骨下空
在尻骨下空數髓空在面俠鼻或骨空在口下當兩肩
兩髆骨空在髆中之陽臂骨空在臂陽去踝四寸兩骨
空之間股骨上空在股陽出上膝四寸䯒骨空在輔骨
之上端股際骨空在毛中動下尻骨空在髀骨之後相
去四寸扁骨有滲理湊無髓孔易髓無空灸寒熱之法
先灸項大椎以年爲壯數次灸橛骨以年爲壯數視背
俞陷者灸之舉臂肩上陷者灸之兩季脇之間灸之外
踝上絕骨之端灸之足小指次指間灸之腨下陷脉灸
之外踝後灸之缺盆骨上切之堅動如筋者灸之膺中

陷骨間灸之掌束骨下灸之齊下關元三寸灸之毛際動脉灸之膝下三寸分間灸之足陽明跗上動脉灸之巔上一灸之犬所嚙之處灸之三壯即以犬傷病法灸之凡當灸二十九處傷食灸之不已者必視其經之過於陽者數刺其俞而藥之

水熱穴論篇第六十一

黄帝問曰少陰何以主腎腎何以主水岐伯對曰腎者至陰也至陰者盛水也肺者太陰也少陰者冬脉也故其本在腎其末在肺皆積水也帝曰腎何以能聚水而生病岐伯曰腎者胃之關也關門不利故聚水而從其類也上下溢於皮膚故為胕腫胕腫者聚水而生病也

帝曰諸水皆生於腎乎岐伯曰腎者牝藏也地氣上者屬於腎而生水液也故曰至陰勇而勞甚則腎汗出腎汗出逢於風內不得入於藏府外不得越於皮膚客於玄府行於皮裏傳於胕腫本之於腎名曰風水所謂玄府者汗空也帝曰水俞五十七處者是何主也岐伯曰腎俞五十七穴積陰之所聚也水所從出入也尻上五行行五者此腎俞故水病下爲胕腫大腹上爲喘呼不得卧者標本俱病故肺爲喘呼腎爲水腫肺爲逆不得卧分爲相輸俱受者水氣之所留也伏菟上各二行行五者此腎之街也三陰之所交結於脚也踝上各一行行六者此腎脉之下行也名曰大衝凡五十七穴者皆

臟之陰絡水之所客也帝曰春取絡脉分肉何也岐伯
曰春者木始治肝氣始生肝氣急其風疾經脉常深其
氣少不能深入故取絡脉分肉間帝曰夏取盛經分湊
何也岐伯曰夏者火始治心氣始長脉瘦氣弱陽氣留
溢熱熏分腠内至於經故取盛經分腠絶膚而病去作流
者邪居淺也所謂盛經者陽脉也帝曰秋取經俞何也
岐伯曰秋者金始治肺將收殺金將勝火陽氣在合陰
氣初勝濕氣及體陰氣未盛未能深入故取俞以寫陰
邪取合以虚陽邪陽氣始衰故取於合帝曰冬取井滎
何也岐伯曰冬者水始治腎方閉陽氣衰少陰氣堅盛
巨陽伏沈陽脉乃去故取井以下陰逆取滎以實陽氣

故曰冬取井滎春不鼽衄此之謂也帝曰夫子言治熱病五十九俞余論其意未能領別其處願聞其處因聞其意岐伯曰頭上五行行五者以越諸陽之熱逆也大杼膺俞缺盆背俞此八者以瀉胷中之熱也氣衝三里巨虛上下廉此八者以瀉胃中之熱也雲門髃骨委中髓空此八者以瀉四支之熱也五藏俞傍五此十者以瀉五藏之熱者凡此五十九穴者皆熱之左右也帝曰人傷於寒而傳爲熱何也岐伯曰夫寒盛則生熱也

黄帝内經素問卷之八

黃帝内經素問卷之九

調經論篇第六十二

黃帝問曰：余聞刺法言有餘寫之不足補之何謂有餘何謂不足岐伯對曰有餘有五不足亦有五帝欲何問帝曰願盡聞之岐伯曰神有餘有不足氣有餘有不足血有餘有不足形有餘有不足志有餘有不足凡此十者其氣不等也帝曰人有精氣津液四支九竅五藏十六部三百六十五節乃生百病百病之生皆有虛實今夫子乃言有餘有五不足亦有五何以生之乎岐伯曰皆生於五藏也夫心藏神肺藏氣肝藏血脾藏肉腎藏志而此成形志意通内連骨髓而成形五藏（一本無此二字）五

藏之道皆出於經隧以行血氣血氣不和百病乃變化
而生是故守經隧焉帝曰神有餘不足何如岐伯曰神
有餘則笑不休神不足則悲血氣未幷五藏安定邪客
於形洒淅起於毫毛未入於經絡也故命曰神之微帝
曰補寫奈何岐伯曰神有餘則寫其小絡之血出血勿
之深斥無中其大經神氣乃平神不足者視其虛絡按
一作切而致之刺而利一作和之無出其血無泄其氣以通
其經神氣乃平帝曰刺微奈何岐伯曰按摩勿釋著鍼
勿斥移氣於不足神氣乃得復帝曰善氣有餘不足奈
何岐伯曰氣有餘則喘咳上氣不足則息利少氣血氣
未幷五藏安定皮膚微病命曰白氣微泄帝曰補寫奈

何歧伯曰氣有餘則寫其經隧無傷其經無出其血無
泄其氣不足則補其經隧無出其氣帝曰刺微柰何歧
伯曰按摩勿釋出鍼視之曰我將深之適人必革精氣
自伏邪氣散亂無所休息氣泄腠理真氣乃相得帝曰
善血有餘不足柰何歧伯曰血有餘則怒不足則恐血
氣未并五藏安定孫絡水溢則經有留血帝曰補寫柰
何歧伯曰血有餘則寫其盛經出其血不足則視其虛
經内鍼其脉中久留而視脉大疾出其鍼無令血泄帝
曰刺留血柰何歧伯曰視其血絡刺出其血無令惡血
得入於經以成其疾帝曰善形有餘不足柰何歧伯曰
形有餘則腹脹涇溲不利不足則四支不用血氣未并

五藏安定肌肉蠕（一作溢又作濡）動命曰微風帝曰補寫柰何歧伯曰形有餘則寫其陽經不足則補其陽絡帝曰刺微柰何歧伯曰取分肉間無中其經無傷其絡衛氣得復邪氣乃索帝曰善志有餘不足柰何歧伯曰志有餘則腹脹飧泄不足則厥血氣未幷五藏安定骨節有動帝曰補寫柰何歧伯曰志有餘則寫然（一本然字下少骨之二字）筋（前一作）血者不足則補其復溜帝曰刺未幷柰何歧伯曰即取之無中其經邪所乃能立虛帝曰善余已聞虛實之形不知其何以生歧伯曰氣血以幷陰陽相傾氣亂於衛血逆於經血氣離居一實一虛血幷於陰氣幷於陽故爲驚狂血幷於陽氣幷於陰乃爲炅中血幷於上

氣并於下心煩惋善怒血并於下氣并於上亂而喜忘帝曰血并於陰氣并於陽如是血氣離居何者爲實何者爲虛岐伯曰血氣者喜溫而惡寒寒則泣不能流溫則消而去之是故氣之所并爲血虛血之所并爲氣虛帝曰人之所有者血與氣耳今夫子乃言血并爲虛氣并爲虛是無實乎岐伯曰有者爲實無者爲虛故氣并則無血血并則無氣今血與氣相失故爲虛焉絡之與孫脉俱輸於經血與氣并則爲實焉血之與氣并走於上則爲大厥厥則暴死氣復反則生不反則死帝曰實者何道從來虛者何道從去虛實之要願聞其故岐伯曰夫陰與陽皆有俞會陽注於陰陰滿之外陰陽勻平以

充其形九候若一命曰平人夫邪之生也或生於陰或生於陽其生於陽者得之風雨寒暑其生於陰者得之飲食居處陰陽喜怒帝曰風雨之傷人柰何岐伯曰風雨之傷人也先客於皮膚傳入於孫脉孫脉滿則傳入於絡脉絡脉滿則輸於大經脉血氣與邪并客於分腠之間其脉堅大故曰實實者外堅充滿不可按之按之則痛帝曰寒濕之傷人柰何岐伯曰寒濕之中人也皮膚不收肌肉堅緊榮血泣衛氣去故曰虛虛者聶一作懾辟氣不足按之則氣足以溫之故快然而不痛帝曰善陰之生實柰何岐伯曰喜怒不節則陰氣上逆上逆則下虛下虛則陽氣走之故曰實矣帝曰陰之生虛柰何

岐伯曰喜則氣下悲則氣消消則脉虛空因寒飲食寒氣熏滿則血泣氣去故曰虛矣帝曰經言陽虛則外寒陰虛則內熱陽盛則外熱陰盛則內寒余已聞之矣不知其所由然也岐伯曰陽受氣於上焦以溫皮膚分肉之間今寒氣在外則上焦不通上焦不通則寒氣獨留於外故寒慄帝曰陰虛生內熱柰何岐伯曰有所勞倦形氣衰少穀氣不盛上焦不行下脘（一作焦）不通胃氣熱熱氣熏胸中故內熱帝曰陽盛生外熱柰何岐伯曰上焦不通利則皮膚緻密腠理閉塞玄府（一本無此二字）不通衛氣不得泄越故外熱帝曰陰盛生內寒柰何岐伯曰厥氣上逆寒氣積於胸中而不寫則溫氣去寒獨留則血

凝泣凝則脉一作腠理不通其脉盛大以濇故中寒帝曰陰與陽幷血氣以幷病形以成刺之柰何岐伯曰刺此者取之經隧取血於營取氣於衛用形哉因四時多少高下帝曰血氣以幷病形以成陰陽相傾補寫柰何岐伯曰寫實者氣盛乃內鍼鍼與氣俱內以開其門如利其戶鍼與氣俱出精氣不傷邪氣乃下外門不閉以出其疾揺大其道如利其路是謂大寫必切而出大氣乃屈帝曰補虛柰何岐伯曰持鍼勿置以定其意候呼內鍼氣出內鍼鍼入鍼空四塞精無從去方實而疾出鍼氣入鍼出熱不得還閉塞其門邪氣布散精氣乃得存動氣候一作無後時近氣不失遠氣乃來是謂追之帝曰夫子言

虛實者有十生於五藏五藏五脉耳夫十二經脉皆生其言一作病今夫子獨言五藏夫十二經脉者皆絡三百六十五節節有病必被經脉經脉之病皆有虛實何以合之歧伯曰五藏者故得六府與爲表裏經絡支節各生虛實其病所居隨而調之病在脉調之血病在血調之絡病在氣調之衛病在肉調之分肉病在筋調之筋病在骨調之骨燔鍼劫刺其下及與急者病在骨焠鍼藥熨病不知所痛兩蹻爲上身形有痛九候莫病則繆刺之痛在於左而右脉病者巨刺之必謹察其九候鍼道備矣

繆刺論篇第六十三

黄帝問曰余聞繆刺未得其意何謂繆刺岐伯對曰夫邪之客於形也必先舍於皮毛留而不去入舍於孫脉留而不去入舍於絡脉留而不去入舍於經脉内連五藏散於腸胃陰陽俱感五藏乃傷此邪之從皮毛而入極於五藏之次也如此則治其經焉今邪客於皮毛入舍於孫絡留而不去閉塞不通不得入於經流溢於大絡而生奇病也夫邪客大絡者左注右右注左上下左右與經相干而布於四末其氣無常處不入於經俞命曰繆刺帝曰願聞繆刺以左取右以右取左柰何其與巨刺何以别之岐伯曰邪客於經左盛則右病右盛則左病亦有移易者左痛未已而右脉先病如此者必巨

刺之必中其經非絡脉也故絡病者其痛與經脉繆處故命曰繆刺帝曰願聞繆刺柰何取之何如岐伯曰邪客於足少陰之絡令人卒心痛暴脹胷脇支滿無積者刺然骨之前出血如食頃而已不已左取右右取左病新發者取五日已邪客於手少陽之絡令人喉痺舌卷口乾心煩臂外廉痛手不及頭刺手中指次指爪甲上去端如韭葉各一痏壯者立已老者有頃已左取右右取左比新病數日已邪客於足厥陰之絡令人卒疝暴痛刺足大指爪甲上與肉交者各一痏男子立已女子有頃已左取右右取左邪客於足太陽之絡令人頭項肩痛刺足小指爪甲上與肉交者各一痏立已不已刺

外踝下三痏左取右右取左如食頃已邪客於手陽明之絡令人氣滿胷中喘息而支胠胷中熱刺手大指次指爪甲上去端如韭葉各一痏左取右右取左如食頃已邪客於臂掌之間不可得屈刺其踝後先以指按之痛乃刺之以月死生爲數月生一日一痏二日二痏十五日十五痏十六日十四痏邪客於足陽蹻之脉令人目痛從内眥始刺外踝之下半寸所各二痏左刺右右刺左如行十里頃而已人有所墮墜惡血留内腹中滿脹不得前後先飲利藥此上傷厥陰之脉下傷少陰之絡刺足内踝之下然骨之前血脉（疑作絡）出血刺足跗上動脉不已刺三毛上各一痏見血立已左刺右右刺左

善悲驚不樂刺如右方邪客於手陽明之絡令人耳聾
時不聞音刺手大指次指爪甲上去端如韭葉各一痏
立聞不已刺中指爪甲上與肉交者立聞其不時聞者
不可刺也耳中生風者亦刺之如此數左刺右右刺左
凡痹往來行無常處者在分肉間痛而刺之以月死生
爲數用針者隨氣盛衰以爲痏數針過其日數則脫氣
不及日數則氣不寫左刺右右刺左病已止不已復刺
之如法月生一日一痏二日二痏漸多之十五日十五
痏十六日十四痏漸少之邪客於足陽明之經（一作絡）令
人鼽衄上齒寒刺足中指次指（一本無此二字）爪甲上與肉交
者各一痏左刺右右刺左邪客於足少陽之絡令人脇

痛不得息欬而汗出刺足小指次指爪甲上與肉交者各一痏不得息立已汗出立止欬者溫衣飲食一日已左刺右右刺左病立已不已復刺如法邪客於足少陰之絡令人嗌痛不可內食無故善怒氣上走賁上刺足下中央之脉各三痏凡六刺立已左刺右右刺左嗌中腫不能內唾時不能出唾者刺然骨之前出血立已左刺右右刺左邪客於足太陰之絡令人腰痛引少腹控眇不可以仰息刺腰尻之解兩胂之上是腰俞一本無此三字以月死生爲痏數發鍼立已左刺右右刺左邪客於足太陽之絡令人拘攣背急引脇而痛刺之從項始數脊椎俠脊疾按之應手如痛刺之傍三痏立已邪客於足

少陽之絡令人留於樞中痛髀不可舉刺樞中以毫鍼寒則久留鍼以月死生爲數立已治諸經刺之所過者不病則繆刺之耳聾刺手陽明不已刺其通脉出耳前者齒齲刺手陽明不已刺其脉入齒中者立已邪客於五藏之間其病也脉引而痛時來時止視其病繆刺之於手足爪甲上視其脉出其血間日一刺一刺不已五刺已繆傳引上齒齒脣寒痛視其手背脉血者去之足陽明中指爪甲上一痏手大指次指爪甲上各一痏立已左取右右取左邪客於手足少陰太陰足陽明之絡此五絡皆會於耳中上絡左角五絡俱竭令人身脉皆動而形無知也其狀若尸或曰尸厥刺其足大指內側

爪甲上去端如韭葉後刺足心後刺足中指爪甲上各一痏後刺手大指內側去端如韭葉後刺手心主少陰銳骨之端各一痏立已不已以竹管吹其兩耳鬄其左角之髮方一寸燔治飲以美酒一杯不能飲者灌之立已凡刺之數先視其經脉切而從之審其虛實而調之不調者經刺之有痛而經不病者繆刺之因視其皮部有血絡者盡取之此繆刺之數也

四時刺逆從論第六十四

厥陰有餘病陰痹不足病生熱痹滑則病狐疝風濇則病少腹積氣少陰有餘病皮痹隱軫不足病肺痹滑則病肺風疝濇則病積溲血太陰有餘病肉痹寒中不足

病脾痺滑則病脾風疝濇則病積心腹時滿陽明有餘病脉痺身時熱不足病心痺滑則病心風疝濇則病積時善驚太陽有餘病骨痺身重不足病腎痺滑則病腎風疝濇則病積善時巔疾少陽有餘病筋痺脇滿不足病肝痺滑則病肝風疝濇則病積時筋急目痛是故春氣在經脉夏氣在孫絡長夏氣在肌肉秋氣在皮膚冬氣在骨髓中帝曰余願聞其故岐伯曰春者天氣始開地氣始泄凍解冰釋水行經通故人氣在脉夏者經滿氣溢入孫絡受血皮膚充實長夏者經絡皆盛内溢肌中秋者天氣始收腠理閉塞皮膚引急冬者蓋藏血氣在中内著骨髓通於五藏是故邪氣者常隨四時之氣

血而入客也至其變化不可爲度然必從其經氣辟除其邪除其邪則亂氣不生帝曰逆四時而生亂氣奈何岐伯曰春刺絡脉血氣外溢令人少氣春刺肌肉血氣環逆令人上氣春刺筋骨血氣内著令人腹脹夏刺經脉血氣乃竭令人解㑊夏刺肌肉血氣内却令人善恐夏刺筋骨血氣上逆令人善怒秋刺經脉血氣上逆令人善忘秋刺絡脉氣不外行令人臥不欲動秋刺筋骨血氣内散令人寒慄冬刺經脉血氣皆脱令人目不明冬刺絡脉内氣外泄留爲大痺冬刺肌肉陽氣竭絶令人善忘凡此四時刺者大逆之病不可不從也反之則生亂氣相淫病焉故刺不知四時之經病之所生以從

爲逆正氣內亂與精相薄必審九候正氣不亂精氣不轉帝曰善刺五藏中心一日死其動爲噫中肝五日死其動爲語（一作欠）中肺三日死其動爲欬中腎六日死其動爲嚏欠（作衍）中脾十（一本有五字）日死其動爲吞刺傷人五藏必死其動則依其藏之所變候知其死也

標本病傳論篇第六十五

黃帝問曰病有標本刺有逆從柰何岐伯對曰凡刺之方必別陰陽前後相應逆從得施標本相移故曰有其在標而求之於標有其在本而求之於本有其在本而求之於標有其在標而求之於本故治有取標而得者有取本而得者有逆取而得者有從取而得者故知逆

與從正行無問知標本者萬舉萬當不知標本是謂妄行夫陰陽逆從標本之爲道也小而大言一而知百病之害少而多淺而博可以言一而知百也以淺而知深察近而知遠言標與本易而勿及治反爲逆治得爲從先病而後逆者治其本先逆而後病者治其本先寒而後生病者治其本先病而後生寒者治其本先熱而後生病者治其本先熱而後生中滿者治其標先病而後泄者治其本先泄而後生他病者治其本必且調之乃治其他病先病而後生中滿者治其標先中滿而後煩心者治其本人有客氣有同一作固氣小大不利治其標小大利治其本病發而有餘本而標之先治其本後治

其標病發而不足標而本之先治其標後治其本謹察
閒甚以意調之間者并行甚者獨行先小大不利而後
生病者治其本夫病傳者心病先心痛一日而欬三日
脇支痛五日閉塞不通身痛體重三日不已死冬夜半
夏日中肺病喘欬三日而脇支滿痛一日身重體痛五
日而脹十日不已死冬日入一作中夏日出肝病頭目眩
脇支滿三日體重身痛五日而脹三日腰脊少腹痛脛
痠三日不已死冬日入夏早食脾病身痛體重一日而
脹二日少腹腰脊痛脛痠三日背胎筋痛小便閉十日
不已死冬人定夏晏食腎病少腹腰脊痛胻痠三日背
胎筋痛小便閉三日腹脹三日兩脇支痛二日不已死

冬〻大晨夏晏晡胃病脹滿五日少腹腰脊痛胻痠三日背膂筋痛小便閉五日身體重六日不已死冬〻夜半後夏日昳膀胱病小便閉五日少腹脹腰脊痛胻痠一日腹脹一日身體痛二日不已死冬〻雞鳴夏下晡諸病以次是相傳如是者皆有死期不可刺間一藏止（一本無此字）及至三四藏者乃可刺也

黄帝内經素問卷之九

黃帝內經素問卷之十

天元紀大論篇第六十六

黃帝問曰天有五行御五位以生寒暑燥濕風人有五藏化五氣以生喜怒思憂恐論言五運相襲而皆治之終朞之日周而復始余已知之矣願聞其與三陰三陽之候奈何合之鬼臾區稽首再拜對曰昭乎哉問也夫五運陰陽者天地之道也萬物之綱紀變化之父母生殺之本始神明之府也可不通乎故物生謂之化物極謂之變陰陽不測謂之神神用無方謂之聖夫變化之爲用也在天爲玄在人爲道在地爲化化生五味道生智玄生神神在天爲風在地爲木在天爲熱在地爲火

在天爲濕在地爲土在天爲燥在地爲金在天爲寒在地爲水故在天爲氣在地成形形氣相感而化生萬物矣然天地者萬物之上下也左右者陰陽之道路也水火者陰陽之徵兆也金木者生成之終始也氣有多少形有盛衰上下相召而損益彰矣帝曰願聞五運之主時也何如鬼臾區曰五氣運行各終朞日非獨主時也帝曰請聞其所謂也鬼臾區曰臣積考太始天元冊文曰太虛廖（與寥同）廓肇基化元萬物資始五運終天布氣眞靈總統坤元九星懸朗七曜周旋曰陰曰陽曰柔曰剛幽顯既位寒暑弛張生生化化品物咸章臣斯十世此之謂也帝曰善何謂氣有多少形有盛衰鬼臾區曰

陰陽之氣各有多少故曰三陰三陽也形有盛衰謂五行之治各有太過不及也故其始也有餘而往不足隨之不足而往有餘從之知迎知隨氣可與期應天爲天符承歲爲歲直三合爲治帝曰上下相召奈何鬼臾區曰寒暑燥濕風火天之陰陽也三陰三陽上奉之木火土金水火地之陰陽也生長化收藏下應之天以陽生陰長地以陽殺陰藏天有陰陽地亦有陰陽木火土金水火地之陰陽也生長化收藏故陽中有陰陰中有陽所以欲知天地之陰陽者應天之氣動而不息故五歲而右遷應地之氣靜而守位故六朞而環會動靜相召上下相臨陰陽相錯而變由生也帝曰上下周紀其有

數乎鬼臾區曰天以六爲節地以五爲制周天氣者六朞爲一備終地紀者五歲爲一周君火以明相火以位五六相合而七百二十氣爲一紀凡三十歲千四百四十氣凡六十歲而爲一周不及太過斯皆見矣帝曰夫子之言上終天氣下畢地紀可謂悉矣余願聞而藏之上以治民下以治身使百姓昭著上下和親德澤下流子孫無憂傳之後世無有終時可得聞乎鬼臾區曰至數之機迫迮以微其來可見其往可追敬之者昌慢之者亡無道行私必得天殃謹奉天道請言眞要帝曰善言始者必會於終善言近者必知其遠是則至數極而道不惑所謂明矣願夫子推而次之令有條理簡而不

置久而不絕易用難忘爲之綱紀至數之要願盡聞之鬼臾區曰昭乎哉問明乎哉道如鼓之應桴響之應聲也臣聞之甲己之歲土運統之乙庚之歲金運統之丙辛之歲水運統之丁壬之歲木運統之戊癸之歲火運統之帝曰其於三陰三陽合之柰何鬼臾區曰子午之歲上見少陰丑未之歲上見太陰寅申之歲上見少陽卯酉之歲上見陽明辰戌之歲上見太陽巳亥之歲上見厥陰少陰所謂標也厥陰所謂終也厥陰之上風氣主之少陰之上熱氣主之太陰之上濕氣主之少陽之上相火主之陽明之上燥氣主之太陽之上寒氣主之所謂本也是謂六元帝曰光乎哉道明乎哉論請著之

玉版藏之金匱署曰天元紀

五運行大論篇第六十七

黄帝坐明堂始正天綱臨觀八極考建五常請天師而問之曰論言天地之動静神明爲之紀陰陽之升降寒暑彰其兆余聞五運之數於夫子夫子之所言正五氣之各主歲耳首甲定運余因論之鬼臾區曰土主甲己金主乙庚水主丙辛木主丁壬火主戊癸子午之上少陰主之丑未之上太陰主之寅申之上少陽主之卯酉之上陽明主之辰戌之上太陽主之巳亥之上厥陰主之不合陰陽其故何也岐伯曰是明道也此天地之陰陽也夫數之可數者人中之陰陽也然所合數之可得

者也夫陰陽者數之可十推之可百數之可千推之可萬天地陰陽者不以數推以象之謂也帝曰願聞其所始也岐伯曰昭乎哉問也臣覽太始天元冊文丹天之氣經于牛女戊分黅天之氣經于心尾已分蒼天之氣經于危室柳鬼素天之氣經于亢氐昴畢玄天之氣經于張翼婁胃所謂戊已分者奎壁角軫則天地之門戶也夫候之所始道之所生不可不通也帝曰善論言天地者萬物之上下左右者陰陽之道路未知其所謂也岐伯曰所謂上下者歲上下見陰陽之所在也左右者諸上見厥陰左少陰右太陽見少陰左太陰右厥陰見太陰左少陽右少陰見少陽左陽明右太陰見陽明左

太陽右少陽見太陽左厥陰右陽明所謂面北而命其位言其見也帝曰何謂下歧伯曰厥陰在上則少陽在下左陽明右太陰少陰在上則陽明在下左太陽右少陽太陰在上則太陽在下左厥陰右陽明少陽在上則厥陰在下左少陰右太陽陽明在上則少陰在下左太陰右厥陰太陽在上則太陰在下左少陽右少陰所謂面南而命其位言其見也上下相遘寒暑相臨氣相得則和不相得則病帝曰氣相得而病者何也歧伯曰以下臨上不當位也帝曰動靜何如歧伯曰上者右行下者左行左右周天餘而復會也帝曰余聞鬼臾區曰應地者靜今夫子乃言下者左行不知其所謂也願聞何

以生之乎岐伯曰天地動靜五行遷復雖鬼臾區其上候而已猶不能徧明夫變化之用天垂象地成形七曜緯虛五行麗地地者所以載生成之形類也虛者所以列應天之精氣也形精之動猶根本之與枝葉也仰觀其象雖遠可知也帝曰地之爲下否乎岐伯曰地爲人之下大虛之中者也帝曰馮（扶冰）乎岐伯曰大氣舉之也燥以乾之暑以蒸之風以動之濕以潤之寒以堅之火以溫之故風寒在下燥熱在上濕氣在中火遊行其間寒暑六入故令虛而化生也故燥勝則地乾暑勝則地熱風勝則地動濕勝則地泥寒勝則地裂火勝則地固矣帝曰天地之氣何以候之岐伯曰天地之氣勝復

之作不形於診也脉法曰天地之變無以脉診此之謂
也帝曰間氣何如歧伯曰隨氣所在期於左右帝曰期
之柰何歧伯曰從其氣則和違其氣則病不當其位者
病迭移其位者病失守其位者危尺寸反者死陰陽交
者死先立其年以知其氣左右應見然後乃可以言死
生之逆順帝曰寒暑燥濕風火在人合之柰何其於萬
物何以生化歧伯曰東方生風風生木木生酸酸生肝
肝生筋筋生心其在天爲玄在人爲道在地爲化化生
五味道生智玄生神化生氣神在天爲風在地爲木在
體爲筋在氣爲柔在藏爲肝其性爲暄其德爲和其用
爲動其色爲蒼其化爲榮其蟲毛其政爲散其令宣

其變摧拉其眚爲隕其味爲酸其志爲怒怒傷肝悲勝怒風傷肝燥勝風酸傷筋辛勝酸南方生熱熱生火火生苦苦生心心生血血生脾其在天爲熱在地爲火在體爲脉在氣爲息在藏爲心其性爲暑其德爲顯其用爲躁其色爲赤其化爲茂其蟲羽其政爲明其令鬱蒸其變炎爍其眚燔焫同爇其味爲苦其志爲喜喜傷心恐勝喜熱傷氣寒勝熱苦傷氣鹹勝苦中央生濕濕生土土生甘甘生脾脾生肉肉生肺其在天爲濕在地爲土在體爲肉在氣爲充在藏爲脾其性靜兼其德爲濡其用爲化其色爲黃其化爲盈其蟲倮其政爲謐其令雲雨其變動注其眚淫潰其味爲甘其志爲思思傷脾怒

勝思濕傷肉風勝濕甘傷脾酸勝甘西方生燥燥生金金生辛辛生肺肺生皮毛皮毛生腎其在天爲燥在地爲金在體爲皮毛在氣爲成在藏爲肺其性爲涼其德爲清其用爲固其色爲白其化爲斂其蟲介其政爲勁其令霧露其變肅殺其眚蒼落其味爲辛其志爲憂憂傷肺喜勝憂熱傷皮毛寒勝熱辛傷皮毛苦勝辛北方生寒寒生水水生鹹鹹生腎腎生骨髓髓生肝其在天爲寒在地爲水在體爲骨在氣爲堅在藏爲腎其性爲凛其德爲寒其用爲（本闕）其色爲黑其化爲肅其蟲鱗其政爲靜其令（本闕）其變凝冽其眚冰雹其味爲鹹其志爲恐恐傷腎思勝恐寒傷血燥勝寒鹹傷血甘勝鹹五氣

更立各有所先非其位則邪當其位則正帝曰病之生變何如岐伯曰氣相得則微不相得則甚帝曰主歲何如岐伯曰氣有餘則制己所勝而侮所不勝其不及則已所不勝侮而乘之己所勝輕而侮之侮反受邪侮而受邪寡於畏也帝曰善

六微旨大論篇第六十八

黄帝問曰嗚呼遠哉天之道也如迎浮雲若視深淵視深淵尚可測迎浮雲莫知其極夫子數言謹奉天道余聞而藏之心私異之不知其所謂也願夫子溢志盡言其事令終不滅久而不絕天之道可得聞乎岐伯稽首再拜對曰明乎哉問天之道也此因天之序盛衰之時

也帝曰願聞天道六六之節盛衰何也岐伯曰上下有位左右有紀故少陽之右陽明治之陽明之右太陽治之太陽之右厥陰治之厥陰之右少陰治之少陰之右太陰治之太陰之右少陽治之此所謂氣之標蓋南面而待之也故曰因天之序盛衰之時移光定位正立而待之此之謂也少陽之上火氣治之中見厥陰陽明之上燥氣治之中見太陰太陽之上寒氣治之中見少陰厥陰之上風氣治之中見少陽少陰之上熱氣治之中見太陽太陰之上濕氣治之中見陽明所謂本也本之下中之見也見之下氣之標也本標不同氣應異象帝曰其有至而至有至而不至有至而太過何也岐伯曰

至而至者和至而不至來氣不及也未至而至來氣有餘也帝曰至而不至未至而至何如岐伯曰應則順否則逆逆則變生變生則病帝曰善請言其應岐伯曰物生其應也氣脉其應也帝曰善願聞地理之應六節氣位何如岐伯曰顯明之右君火之位也君火之右退行一步相火治之復行一步土氣治之復行一步金氣治之復行一步水氣治之復行一步木氣治之復行一步君火治之相火之下水氣承之水位之下土氣承之土位之下風氣承之風位之下金氣承之金位之下火氣承之君火之下陰精承之帝曰何也岐伯曰亢則害承迺制制生則化外列盛衰害則敗亂生化大病帝曰盛

衰何如歧伯曰非其位則邪當其位則正邪則變甚正則微帝曰何謂當位歧伯曰木運臨卯火運臨午土運臨四季金運臨酉水運臨子所謂歲會氣之平也帝曰非位何如歧伯曰歲不與會也帝曰土運之歲上見太陰火運之歲上見少陽少陰金運之歲上見陽明木運之歲上見厥陰水運之歲上見太陽奈何歧伯曰天之與會也故天元冊曰天符天符歲會何如歧伯曰大一天符之會也帝曰其貴賤何如歧伯曰天符爲執法歲位爲行令大一天符爲貴人帝曰邪之中也奈何歧伯曰中執法者其病速而危中行令者其病徐而持中貴人者其病暴而死帝曰位之易也何如歧伯曰君位臣

則順臣位君則逆逆則其病近其害速順則其病遠其害微所謂二火也帝曰善願聞其步何如岐伯曰所謂步者六十度而有奇故二十四步積盈百刻而成日也帝曰六氣應五行之變何如岐伯曰位有終始氣有初中上下不同求之亦異也帝曰求之柰何岐伯曰天氣始於甲地氣始於子子甲相合命曰歲立謹候其時氣可與期帝曰願聞其歲六氣始終早晏何如岐伯曰明乎哉問也甲子之歲初之氣天數始於水下一刻終於八十七刻半二之氣始於八十七刻六分終於七十五刻三之氣始於七十六刻終於六十二刻半四之氣始於六十二刻六分終於五十刻五之氣始於五十一刻

終於三十七刻半六之氣始於三十七刻六分終於二十五刻所謂初六天之數也乙丑歲初之氣天數始於二十六刻終於一十二刻半二之氣始於一十二刻六分終於水下百刻三之氣始於一刻終於八十七刻半四之氣始於八十七刻六分終於七十五刻五之氣始於七十六刻終於六十二刻半六之氣始於六十二刻六分終於五十刻所謂六二天之數也丙寅歲初之氣天數始於五十一刻終於三十七刻半二之氣始於三十七刻六分終於二十五刻三之氣始於二十六刻終於一十二刻半四之氣始於一十二刻六分終於水下百刻五之氣始於一刻終於八十七刻半六之氣始於

八十七刻六分終於七十五刻所謂六三天之數也卯歲初之氣天數始於七十六刻終於六十二刻半二之氣始於六十二刻六分終於五十刻三之氣始於五十一刻終於三十七刻半四之氣始於三十七刻六分終於二十五刻五之氣始於二十六刻終於一十二刻半六之氣始於一十二刻六分終於水下百刻所謂六四天之數也戊辰歲初之氣復始於一刻常如是無已周而復始帝曰願聞其歲候何如岐伯曰悉乎哉問也日行一周天氣始於一刻日行再周天氣始於二十六刻日行三周天氣始於五十一刻日行四周天氣始於七十六刻日行五周天氣復始於一刻所謂一紀也

是故寅午戌歲氣會同卯未亥歲氣會同辰申子歲氣會同巳酉丑歲氣會同終而復始帝曰願聞其用也歧伯曰言天者求之本言地者求之位言人者求之氣交帝曰何謂氣交歧伯曰上下之位氣交之中人之居也故曰天樞之上天氣主之天樞之下地氣主之氣交之分人氣從之萬物由之此之謂也帝曰何謂初中歧伯曰初凡三十度而有奇中氣同法帝曰初中何也歧伯曰所以分天地也帝曰願卒聞之歧伯曰初者地氣也中者天氣也帝曰其升降何如歧伯曰氣之升降天地之更用也帝曰願聞其用何如歧伯曰升已而降降者謂天降已而升升者謂地天氣下降氣流于地地氣

升氣騰于天故高下相召升降相因而變作矣帝曰善

寒濕相遘燥熱相臨風火相值其有閒乎岐伯曰氣有

勝復勝復之作有德有化有用有變變則邪氣居之帝

曰何謂邪乎岐伯曰夫物之生從於化物之極由乎變

變化之相薄成敗之所由也故氣有往復用有遲速四

者之有而化而變風之來也帝曰遲速往復風所由生

而化而變故因盛衰之變耳成敗倚伏遊乎中何也岐

伯曰成敗倚伏生乎動動而不已則變作矣帝曰有期

乎岐伯曰不生不化静之期也帝曰不生化乎岐伯曰

出入廢則神機化滅升降息則氣立孤危故非出入則

無以生長壯老已非升降則無以生長化收藏是以升

降出入無器不有故器者生化之宇器散則分之生化息矣故無不出入無不升降化有小大期有近遠四者之有而貴常守反常則災害至矣故曰無形無患此之謂也帝曰善有不生不化乎岐伯曰悉乎哉問也與道合同惟真人也帝曰善

氣交變大論篇第六十九

黄帝問曰五運更治上應天朞陰陽往復寒暑迎隨真邪相薄内外分離六經波蕩五氣傾移太過不及專勝兼并願言其始而有常名可得聞乎岐伯稽首再拜對曰昭乎哉問也是明道也此上帝所貴先師傳之臣雖不敏往聞其旨帝曰余聞得其人不教是謂失道傳非

其人慢泄天寶余誠菲德未足以受至道然而衆子哀其不終願夫子保於無窮流於無極余司其事則而行之奈何岐伯曰請遂言之也上經曰夫道者上知天文下知地理中知人事可以長久此之謂也帝曰何謂也岐伯曰本氣位也位天者天文也位地者地理也通於人氣之變化者人事也故太過者先天不及者後天所謂治化而人應之也帝曰五運之化太過何如岐伯曰歲木太過風氣流行脾土受邪民病飧泄食減體重煩寃腸鳴腹支滿上應歲星甚則忽忽善怒眩冒巔疾化氣不政生氣獨治雲物飛動草木不寧甚而摇落反脇痛而吐甚衝陽絶者死不治上應太白星歲火太過炎

暑流行肺金受邪民病瘧少氣欬喘血溢血泄注下嗌燥耳聾中熱肩背熱上應熒惑星甚則胸中痛脅支滿脅痛膺背肩胛間痛兩臂內痛身熱骨痛而爲浸淫收氣不行長氣獨明雨水(當作冰)霜寒上應辰星上臨少陰少陽火燔焫水泉涸物焦槁病反譫妄狂越欬喘息鳴下甚血溢泄不已太淵絶者死不治上應熒惑星歲土太過雨濕流行腎水受邪民病腹痛清厥意不樂體重煩寃上應鎮星甚則肌肉萎足萎不收行善瘈脚下痛飲發中滿食減四支不舉變生得位藏氣伏化氣獨治之泉涌河衍涸澤生魚風雨大至土崩潰鱗見于陸病腹滿溏泄腸鳴反下甚而大谿絶者死不治上應歲星

歲金太過燥氣流行肝木受邪民病兩脇下少腹痛目赤痛眥瘍耳無所聞肅殺而甚則體重煩冤胷痛引背兩脇滿且痛引少腹上應太白星甚則喘欬逆氣肩背痛尻陰股膝髀腨䯒足皆病上應熒惑星收氣峻生氣下草木斂蒼乾凋隕病反暴痛胠脇不可反側欬逆甚而血溢太衝絶者死不治上應太白星歲水太過寒氣流行邪害心火民病身熱煩心躁悸陰厥上下中寒譫妄心痛寒氣早至上應辰星甚則腹大脛腫喘欬寑汗出憎風大雨至埃霧朦鬱上應鎮星上臨太陽雨水雪霜不時降濕氣變物病反腹滿腸鳴溏泄食不化渴而妄冒神門絶者死不治上應熒惑辰星帝曰善其不及

何如歧伯曰悉乎哉問也歲木不及燥廼大行生氣失應草木晚榮肅殺而甚則剛木辟著柔萎蒼乾上應太白星民病中清胠脇痛少腹痛腸鳴溏泄凉雨時至上應太白星其穀蒼上臨陽明生氣失政草木再榮化氣廼急上應太白鎮星其主蒼早復則炎暑流火濕性燥柔脆草木焦槁下體再生華實齊化病寒熱瘡瘍疿胗癰痤上應熒惑太白其穀白堅白露早降收殺氣行寒雨害物蟲食甘黄脾土受邪赤氣後化心氣晚治上勝肺金白氣廼屈其穀不成欬而鼽上應熒惑太白星歲火不及寒廼大行長政不用物榮而下凝慘而甚則陽氣不化廼折榮美上應辰星民病胷中痛脇支滿兩脇

痛膺背肩胛間及兩臂內痛鬱冒朦昧心痛暴瘖胸腹大脇下與腰背相引而痛甚則屈不能伸髖髀如別上應熒惑辰星其穀丹復則埃鬱大雨且至黑氣迺辱病鶩音木溏腹滿食飲不下寒中腸鳴泄注腹痛暴攣痿痺足不任身上應鎮星辰星玄穀不成歲土不及風迺大行化氣不令草木茂榮飄揚而甚秀而不實上應歲星民病飧泄霍亂體重腹痛筋骨繇復肌肉瞤酸善怒藏氣舉事蟄蟲早附咸病寒中上應歲星鎮星其穀黅復則收政嚴峻名木蒼凋胷脇暴痛下引少腹善大息蟲食甘黃氣客於脾黅穀迺減民食少失味蒼穀迺損上應太白歲星上臨厥陰流水不冰蟄蟲來見藏氣不用

白迺不復上應歲星民迺康歲金不及炎火迺行生氣
迺用長氣專勝庶物以茂燥爍以行上應熒惑星民病
肩背瞀重鼽嚏血便注下收氣迺後上應太白星其穀
堅芒復則寒雨暴至迺零氷雹霜雪殺物陰厥且格陽
反上行頭腦戶痛延及腦頂發熱上應辰星丹穀不成
民病口瘡甚則心痛歲水不及濕乃大行長氣反用其
化迺速暑雨數至上應鎮星民病腹滿身重濡泄寒瘍
流水腰股痛發膕腨股膝不便煩寃足痿清厥脚下痛
甚則胕腫藏氣不政腎氣不衡上應辰星其穀秬上臨
太陰則大寒數舉蟄蟲早藏地積堅氷陽光不治民病
寒疾於下甚則腹滿浮腫上應鎮星其主黅穀復則大

風暴發草偃木零生長不鮮面色時變筋骨併辟肉瞤瘛目視䀮䀮音荒物踈璺音問肌肉胗發氣并鬲中痛於心腹黃氣迺損其穀不登上應歲星帝曰善願聞其時也岐伯曰悉乎哉問也木不及春有鳴條律暢之化則秋有霧露清涼之政春有慘悽殘賊之勝則夏有炎暑燔爍之復其眚東其藏肝其病內舍胠脇外在關節火不及夏有炳明光顯之化則冬有嚴肅霜寒之政夏有慘悽凝冽之勝則不時有埃昏大雨之復其眚南其藏心其病內舍膺脇外在經絡土不及四維有埃雲潤澤之化則春有鳴條鼓拆之政四維發振拉飄騰之變則秋有肅殺霖霪之復其眚四維其藏脾其病內舍心腹外

在肌肉四支金不及夏有光顯鬱蒸之令則冬有嚴凝整肅之應夏有炎爍燔燎之變則秋有冰雹霜雪之復其眚西其藏肺其病内舍膺脇肩背外在皮毛水不及四維有湍潤埃雲之化則不時有和風生發之應四維發埃昏驟注之變則不時有飄蕩振拉之復其眚北其藏腎其病内舍腰脊骨髓外在谿谷踹膝夫五運之政猶權衡也高者抑之下者舉之化者應之變者復之此生長化成收藏之理氣之常也失常則天地四塞矣故曰天地之動靜神明爲之紀陰陽之往復寒暑彰其兆此之謂也帝曰夫子之言五氣之變四時之應可謂悉矣夫氣之動亂觸遇而作發無常會卒然災合何以與

之岐伯曰夫氣之動變固不常在而德化政令災變不同其候也帝曰何謂也岐伯曰東方生風風生木其德敷和其化生榮其政舒啓其令風其變振發其災散落南方生熱熱生火其德彰顯其化蕃茂其政明曜其令熱其變銷爍其災燔焫中央生濕濕生土其德溽蒸其化豐備其政安靜其令濕其變驟注其災霖潰西方生燥燥生金其德清潔其化緊斂其政勁切其令燥其變肅殺其災蒼隕北方生寒寒生水其德淒滄其化清謐其政凝肅其令寒其變栗冽其災冰雪霜雹是以察其動也有德有化有政有令有變有災而物由之而人應之也帝曰夫子之言歲候不及其太過而上應五星今

夫德化政令災眚變易非常而有也卒然而動其亦爲之變乎岐伯曰承天而行之故無妄動無不應也卒然而動者氣之交變也其不應焉故曰應常不應卒此之謂也帝曰其應柰何岐伯曰各從其氣化也帝曰其行之徐疾逆順何如岐伯曰以道留久逆守而小是謂省下以道而去去而速來曲而過之是謂省遺過也久留而環或離或附是謂議災與其德也應近則小應遠則大芒而大倍常之一其化甚大常之二其眚即也小常之一其化減小常之二是謂臨視省下之過與其德也德者福之過者伐之是以象之見也高而遠則小下而近則大故大則喜怒邇小則禍福遠歲運大過則運星

比越運氣相得則各行以道故歲運太過畏星失色而兼其母不及則色兼其所不勝肖者瞿瞿莫知其妙閔閔之當孰者爲良妄行無徵示畏侯王帝曰其災應何如岐伯曰亦各從其化也故時至有盛衰淩犯有逆順留守有多少形見有善惡宿屬有勝負徵應有吉凶矣帝曰其善惡何謂也岐伯曰有喜有怒有憂有喪有澤有燥此象之常也必謹察之帝曰六者高下異乎岐伯曰象見高下其應一也故人亦應之帝曰善其德化政令之動靜損益皆何如岐伯曰夫德化政令災變不能相加也勝復盛衰不能相多也往來小大不能相過也用之升降不能相無也各從其動而復之耳帝曰其病

生何如歧伯曰德化者氣之祥政令者氣之章變易者復之紀災眚者傷之始氣相勝者和不相勝者病重感於邪則甚也帝曰善所謂精光之論大聖之業宣明大道通於無窮究於無極也余聞之善言天者必應於人善言古者必驗於今善言氣者必彰於物善言應者同天地之化善言化言變者通神明之理非夫子孰能言至道歟迺擇良兆而藏之靈室每旦讀之命曰氣交變非齋戒不敢發慎傳也

五常政大論篇第七十

黄帝問曰大虚寥廓五運迴薄衰盛不同損益相從願聞平氣何如而名何如而紀也歧伯對曰昭乎哉問也

木曰敷和火曰升明土曰備化金曰審平水曰靜順帝曰其不及柰何岐伯曰木曰委和火曰伏明土曰卑監金曰從革水曰涸流帝曰太過何謂岐伯曰木曰發生火曰赫曦土曰敦阜金曰堅成水曰流衍帝曰三氣之紀願聞其候岐伯曰悉乎哉問也敷和之紀木德周行陽舒陰布五化宣平其氣端其性隨其用曲直其化生榮其類草木其政發散其候溫和其令風其藏肝肝其畏清其主目其穀麻其果李其實核其應春其蟲毛其畜犬其色蒼其養筋其病裏急支滿其味酸其音角其物中堅其數八升明之紀正陽而治德施周普五化均衡其氣高其性速其用燔灼其化蕃茂其類火其政明

曜其候炎暑其令熱其藏心心其畏寒其主舌其穀麥
其果杏其實絡其應夏其蟲羽其畜馬其色赤其養血
其病瞤瘛其味苦其音徵其物脉其數七備化之紀氣
協天休德流四政五化齊脩其氣平其性順其用高下
其化豐滿其類土其政安靜其候溽蒸其令濕其藏脾
脾其畏風其主口其穀稷其果棗其實肉其應長夏其
蟲倮其畜牛其色黃其養肉其病否其味甘其音宮其
物膚其數五審平之紀收而不爭殺而無犯五化宣明
其氣潔其性剛其用散落其化堅斂其類金其政勁肅
其候清切其令燥其藏肺肺其畏熱其主鼻其穀稻其
果桃其實殼其應秋其蟲介其畜雞其色白其養皮毛

其病欬其味辛其音商其物外堅其數九靜順之紀藏而勿害治而善下五化咸整其氣明其性下其用沃衍其化凝堅其類水其政流演其候凝肅其令寒其藏腎腎其畏濕其主二陰其穀豆其果栗其實濡其應冬其蟲鱗其畜彘其色黑其養骨其病厥其味鹹其音羽其物濡其數六故生而勿殺長而勿罰化而勿制收而勿害藏而勿抑是謂平氣委和之紀是謂勝生生氣不政化氣迺揚長氣自平收令迺早涼雨時降風雲並興草木晚榮蒼乾凋落物秀而實膚肉內充其氣斂其用聚其動緛軟音戾拘緩其發驚駭其藏肝其果棗李其實核殼其穀稷稻其味酸辛其色白蒼其畜犬雞其蟲毛介

其主霧露淒滄其聲角商其病搖動注恐從金化也少角與判商同上角與正角同上商與正商同其病支發癰腫瘡瘍其甘蟲邪傷肝也上宮與正宮同蕭飋肅殺則炎赫沸騰眚於三所謂復也其主飛蠹蛆雉迺為雷霆伏明之紀是謂勝長長氣不宣藏氣反布收氣自政化令迺衡寒清數舉暑令迺薄承化物生生而不長成實而稚遇化已老陽氣屈伏蟄蟲早藏其氣鬱其用暴其動彰伏變易其發痛其藏心其果栗桃其實絡濡其穀豆稻其味苦鹹其色玄丹其畜馬彘其蟲羽鱗其主冰雪霜寒其聲徵羽其病昏惑悲忘從水化也少徵與少羽同上商與正商同邪傷心也凝慘凓冽則暴雨霖

霪眚於七其主驟注雷霆震驚沈黔（音陰）淫雨卑監之紀是謂減化化氣不令生政獨彰長氣整雨迺衍收氣平風寒並興草木榮美秀而不實成而粃也其氣散其用靜定其動瘍涌分潰癰腫其發濡滯其藏脾其果李栗其實濡（當作肉）核其穀豆麻其味酸甘其色蒼黃其畜牛犬其蟲倮毛其主飄怒振發其聲宮角其病留滿否塞從木化也少宮與少角同上宮與正宮同上角與正角同其病飧泄邪傷脾也振拉飄揚則蒼乾散落其眚四維其主敗折虎狼清氣迺用生政迺辱從革之紀是謂折收收氣迺後生氣迺揚長化合德火政迺宣庶類以蕃其氣揚其用躁切其動鏗禁瞀（音冒）厥其發欬喘其厥

肺其果李杏其實殼絡其穀麻麥其味苦辛其色白丹其畜雞羊其蟲介羽其主明曜炎爍其聲商徵其病嚏欬鼽衄從火化也少商與少徵同上商與正商同上角與正角同邪傷肺也炎光赫烈則冰雪霜雹眚於九其主鱗伏彘鼠歲氣早至廼生大寒涸流之紀是謂反陽藏令不舉化氣廼昌長氣宣布蟄蟲不藏土潤水泉減草木條茂榮秀滿盛其氣滯其用滲泄其動堅止其發燥槁其藏腎其果棗杏其實濡肉其穀黍本作麥稷其味甘鹹其色黅玄其畜彘牛其蟲鱗倮其主埃鬱昏翳其聲羽宮其病痿厥堅下從土化也少羽與少宮同上宮與正宮同其病癃閟邪傷腎也埃昏驟雨則振拉摧拔

眚於一，其主毛顯狐狢，變化不藏。故乘危而行，不速而至，暴虐無德，災反及之。微者復微，甚者復甚，氣之常也。

發生之紀，是謂啓敕（字古陳）。土踈泄，蒼氣達，陽和布化，陰氣迺隨，生氣淳化，萬物以榮。其化生，其氣美，其政散，其令條舒，其動掉眩巔疾，其德鳴靡啓拆，其變振拉摧拔，其穀麻稻，其畜雞犬，其果李桃，其色青黃白，其味酸甘辛，其象春，其經足厥陰少陽，其藏肝脾，其蟲毛介，其物中堅外堅，其病怒。太角與上商同。上徵則其氣逆，其病吐利。不務其德，則收氣復，秋氣勁切，甚則肅殺，清氣大至，草木凋零，邪迺傷肝。

赫曦之紀，是謂蕃茂。陰氣內化，陽氣外榮，炎暑施化，物得以昌。其化長，其氣高，其政動其令鳴顯其動炎灼妄擾其德暄暑鬱蒸其變炎烈沸騰其穀麥豆其畜羊彘其果杏栗其色赤白玄其味苦辛鹹其象夏其經手少陰太陽手厥陰少陽其藏心脉其蟲羽鱗其物脉濡其病笑瘧瘡瘍血流狂妄目赤上羽與正徵同其收齊其病痓上徵而收氣後也暴烈其政藏氣廼復時見凝慘甚則雨水霜雹切寒邪傷心也

敦阜之紀是謂廣化厚德清静順長以盈至陰内實物化充成煙埃朦鬱見於厚土大雨時行濕氣廼用燥政廼辟其化圓其氣豐其政静其令周備其動濡積并稸其德柔潤重淖其變震驚飄驟崩潰其穀稷麻其畜牛犬其果棗李其色黅玄蒼其味甘鹹酸其象長夏其經

足太陰陽明其藏脾胃其蟲倮毛其物肌核其病腹滿四支不舉大風迅至邪傷脾也堅成之紀是謂收引天氣潔地氣明陽氣隨陰治化燥行其政物以司成收氣繁布化治不終其化成其氣削其政肅其令鋭切其動暴折瘍疰其德霧露蕭飋其變肅殺凋零其穀稻黍其畜雞馬其果桃杏其色白青丹其味辛酸苦其象秋其經手太陰陽明其藏肺肝其蟲介羽其物殼絡其病喘喝胷憑仰息上徵與正商同其生齊其病欬政暴變則名木不榮柔脆焦首長氣斯救大火流炎爍且至蔓將槁邪傷肺也流衍之紀是謂封藏寒司物化天地嚴凝藏政以布長令不揚其化凜其氣堅其政謐其令流注

其動漂泄沃涌其德凝慘寒雰其變冰雪霜雹其穀豆稷其畜彘牛其果栗棗其色黑丹黅其味鹹苦甘其象冬其經足少陰太陽其藏腎心其蟲鱗倮其物濡滿其病脹上羽而長氣不化也政過則化氣大舉而埃昏氣交大雨時降邪傷腎也故曰不恒其德則所勝來復政恒其理則所勝同化此之謂也帝曰天不足西北左寒而右凉地不滿東南右熱而左温其故何也岐伯曰陰陽之氣高下之理大小之異也東南方陽也陽者其精降於下故右熱而左温西北方陰也陰者其精奉於上故左寒而右凉是以地有高下氣有温凉高者氣寒下者氣熱故適寒凉者脹之温熱者瘡下之則脹已汗

則瘡已此腠理開閉之常大小之異耳帝曰其於壽夭何如岐伯曰陰精所奉其人壽陽精所降其人夭帝曰善其病者治之奈何岐伯曰西北之氣散而寒之東南之氣收而溫之所謂同病異治也故曰氣寒氣凉治以寒凉行水漬之氣溫氣熱治以溫熱強其內守必同其氣可使平也假者反之帝曰善一州之氣生化壽夭不同其故何也岐伯曰高下之理地勢使然也崇高則陰氣治之汚下則陽氣治之陽勝者先天陰勝者後天此地理之常生化之道也帝曰其有壽夭乎岐伯曰高者其氣壽下者其氣夭地之小大異也小者小異大者大異故治病者必明天道地理陰陽更勝氣之先後人之

壽夭生化之期乃可以知人之形氣矣帝曰善其歲有
不病而藏氣不應不用者何也歧伯曰天氣制之氣有
所從也帝曰願卒聞之歧伯曰少陽司天火氣下臨肺
氣上從白起金用草木眚火見燔焫革金且耗大暑以
行欬嚏鼽衄鼻窒曰瘍寒熱胕腫風行于地塵沙飛揚
心痛胃脘痛厥逆鬲不通其主暴速陽明司天燥氣下
臨肝氣上從蒼起木用而立土廼眚淒滄數至木伐草
萎脇痛目赤掉振鼓慄筋痿不能久立暴熱至土廼暑
陽氣鬱發小便變寒熱如瘧甚則心痛火行于槁流水
不冰蟄蟲廼見太陽司天寒氣下臨心氣上從而火且
明丹起金廼眚寒清時舉勝則水冰火氣高明心熱煩

嗌乾善渴鼽嚏喜悲數欠熱氣妄行寒廼復霜不時降善忘甚則心痛土廼潤水豐衍寒客至沈陰化濕氣變物水飲内穡中滿不食皮𤸷音裙痺也肉苛筋脉不利甚則胕腫身後癰一作後難厥陰司天風氣下臨脾氣上從而土且隆黄起水廼眚土用革體重肌肉萎食減口爽風行大虛雲物搖動目轉耳鳴火縱其暴地廼暑大熱消爍赤沃下蟄蟲數見流水不冰其發機速少陰司天熱氣下臨肺氣上從白起金用草木眚喘嘔寒熱嚏鼽衄鼻窒大暑流行甚則瘡瘍燔灼金爍石流地廼燥淒滄數至脇痛善大息肅殺行草木變太陰司天濕氣下臨腎氣上從黑起水變埃冒雲雨胷中不利陰痿氣大衰而

不起不用（不用當作水用）當其時反腰脽痛動轉不便也厥逆地廼藏陰大寒且至蟄蟲早附心下否痛地裂氷堅少腹痛時害於食乘金則止水增味廼鹹行水減也帝曰歲有胎孕不育治之不全何氣使然岐伯曰六氣五類有相勝制也同者盛之異者衰之此天地之道生化之常也故厥陰司天毛蟲靜羽蟲育介蟲不成在泉毛蟲育倮蟲耗羽蟲不育少陰司天羽蟲靜介蟲育毛蟲不成在泉羽蟲育介蟲耗不育太陰司天倮蟲靜鱗蟲育羽蟲不成在泉倮蟲育鱗蟲不成少陽司天羽蟲靜毛蟲育倮蟲不成在泉羽蟲育介蟲耗毛蟲不育陽明司天介蟲靜羽蟲育介蟲不成在泉介蟲育毛蟲耗羽蟲

不成太陽司天鱗蟲靜倮蟲育在泉鱗蟲耗倮蟲不育
諸乘所不成之運則甚也故氣生有所制歲立有所生
地氣制已勝天氣制勝已天制色地制形五類衰盛各
隨其氣之所宜也故有胎孕不育治之不全此氣之常
也所謂中根也根于外者亦五故生化之別有五氣五
味五色五類五宜也帝曰何謂也岐伯曰根于中者命
曰神機神去則機息根于外者命曰氣立氣止則化絕
故各有制各有勝各有生各有成故曰不知年之所加
氣之同異不足以言生化此之謂也帝曰氣始而生化
氣散而有形氣布而蕃育氣終而象變其致一也然而
五味所資生化有薄厚成熟有少多終始不同其故何

也岐伯曰地氣制之也非天不生而地不長也帝曰願
聞其道岐伯曰寒熱燥濕不同其化也故少陽在泉寒
毒不生其味辛其治苦酸其穀蒼丹陽明在泉濕毒不
生其味酸其氣濕其治辛苦甘其穀丹素太陽在泉熱
毒不生其味苦其治淡鹹其穀黅秬厥陰在泉清毒不
生其味甘其治酸苦其穀蒼赤其氣專其味正少陰在
泉寒毒不生其味辛其治辛苦甘其穀白丹太陰在泉
燥毒不生其味鹹其氣熱其治甘鹹其穀黅秬化淳則
鹹守氣專則辛化而俱治故曰補上下者從之治上下
者逆之以所在寒熱盛衰而調之故曰上取下取內取
外取以求其過能毒者以厚藥不勝毒者以薄藥此之

謂也氣反者病在上取之下病在下取之上病在中傍取之治熱以寒溫而行之治寒以熱凉而行之治溫以清冷而行之治清以溫熱而行之故消之削之吐之下之補之寫之久新同法帝曰病在中而不實不堅且聚且散柰何岐伯曰悉乎哉問也無積者求其藏虛則補之藥以祛之食以隨之行水漬之和其中外可使畢已帝曰有毒無毒服有約乎岐伯曰病有久新方有大小有毒無毒固宜常制矣大毒治病十去其六常毒治病十去其七小毒治病十去其八無毒治病十去其九穀肉果菜食養盡之無使過之傷其正也不盡行復如法必先歲氣無伐天和無盛盛無虛虛而遺人夭殃無致

邪無失正絶人長命帝曰其久病者有氣從不康病去而瘠柰何歧伯曰昭乎哉聖人之問也化不可代時不可違夫經絡以通血氣以從復其不足與衆齊同養之和之靜以待時謹守其氣無使傾移其形迺彰生氣以長命曰聖王故大要曰無代化無違時必養必和待其來復此之謂也帝曰善

黄帝内經素問卷之十

黄帝内經素問卷之十一

六元正紀大論篇七十一

黃帝問曰：六化六變勝復淫治甘苦辛鹹酸淡先後余知之矣夫五運之化或從五氣（五氣疑作天氣）或逆天氣或從天氣而逆地氣或從地氣而逆天氣或相得或不相得余未能明其事欲通天之紀從地之理和其運調其化使上下合德無相奪倫天地升降不失其宜五運宣行勿乖其政調之正味從逆奈何岐伯稽首再拜對曰昭乎哉問也此天地之綱紀變化之淵源非聖帝孰能窮其至理歟臣雖不敏請陳其道令終不滅久而不易帝曰願夫子推而次之從其類序分其部主別其宗司昭

其氣數明其正化可得聞乎歧伯曰先立其年以明其氣金木水火土運行之數寒暑燥濕風火臨御之化則天道可見民氣可調陰陽卷舒近而無惑數之可數者請遂言之帝曰太陽之正奈何歧伯曰辰戌之紀也

太陽 太角 太陰 壬辰 壬戌 其運風其化鳴紊啓拆 其變振拉摧拔 其病眩掉目瞑

太角初正 少徵 太宮 少商 太羽終

太陽 太徵 太陰 戊辰 戊戌同正徵 其運熱其化暄暑鬱燠 其變炎烈沸騰 其病熱鬱

太徵 少宮 太商 少羽終 少角初

太陽 太宮 太陰 甲辰歲會 甲戌歲會 其運

陰埃　其化柔潤重澤　其變震驚飄驟　其病濕下重

大宮　少商　大羽終　大角初　少徵

太陽　大商　太陰　庚辰　庚戌　其運涼　其化霧露蕭飋　其變肅殺凋零　其病燥背瞀胸滿

大商　少羽終　少角初　大徵　少宮

太陽　大羽　太陰　丙辰天符　丙戌天符　其運寒　其化凝慘凓冽　其變冰雪霜雹　其病大寒留於谿谷

大羽終　大角　少徵　大宮　少商

凡此太陽司天之政氣化運行先天天氣肅地氣靜寒

臨太虛陽氣不令水土合德上應辰星鎮星其穀玄黅
其政肅其令徐寒政大舉澤無陽燄則火發待時少陽
中治時雨乃涯止極雨散還於太陰雲朝北極濕化迺
布澤流萬物寒敷于上雷動于下寒濕之氣持於氣交
民病寒濕發肌肉萎足萎不收濡寫血溢初之氣地氣
遷氣迺大温草迺早榮民迺厲温病迺作身熱頭痛嘔
吐肌腠瘡瘍二之氣大凉反至民迺慘草迺遇寒火氣
遂抑民病氣鬱中滿寒迺始三之氣天政布寒氣行雨
迺降氣病寒反熱中癰疽注下心熱瞀悶不治者死四
之氣風濕交爭風化爲雨迺長迺化迺成民病大熱少
氣肌肉萎足萎注下赤白五之氣陽復化草迺長迺化

迺成民迺舒終之氣地氣正濕令行陰凝大虛埃昏郊野民迺慘悽寒風以至反者孕迺死故歲宜苦以燥之濕之以上九字當在避虛邪以安其正之下必折其鬱氣先資其化原抑其運氣扶其不勝無使暴過而生其疾食歲穀以全其眞避虛邪以安其正適氣同異多少制之同寒濕者燥熱化異寒濕者燥濕化用寒遠寒用涼遠涼用溫遠溫用熱遠熱食宜同法有假者反常反是者病所謂時也

帝曰善陽明之政奈何歧伯曰卯酉之紀也

陽明　少角　少陰　清熱勝復同同正商　丁卯歲會　丁酉　其運風清熱

少角初正　大徵　少宮　太商　少羽終

陽明　少徵　少陰　寒雨勝復同同正商　癸卯

癸酉　其運熱寒雨

少徵　大宮　少商　大羽終　大角初

陽明　少宮　少陰　風涼勝復同　己卯　己酉

其運雨風涼

少宮　大商　少羽終　少角初　大徵

陽明　少商　少陰　熱寒勝復同同正商　乙卯天

符　乙酉歲會太一天符　其運涼熱寒

少商　大羽終　大角初　少徵　大宮

陽明　少羽　少陰　雨風勝復同　辛卯少宮同

辛酉　辛卯其運寒雨風

少羽終 少角初 大徵 大宮 大商

凡此陽明司天之政，氣化運行後天，天氣急，地氣明，陽專其令，炎暑大行，物燥以堅，淳風迺洽，風燥横運，流於氣交，多陽少陰，雲趨雨府，濕化迺敷，燥極而澤，其穀白丹，間穀命太者，其耗白甲品羽，金火合德，上應太白熒惑，其政切，其令暴，蟄蟲迺見，流水不冰，民病欬嗌塞，寒熱發暴，振慄癃閟，清先而勁，毛蟲迺死，熱後而暴，介蟲迺殃，其發暴，勝復之作，擾而大亂，清熱之氣，持於氣交。初之氣，地氣遷，陰始凝，氣始肅，水迺冰，寒雨化，其病中熱脹，面目浮腫，善眠，鼽衄，嚏欠，嘔，小便黄赤，甚則淋。二之氣，陽迺布，民迺舒，物迺生榮，厲大至，民善暴死。三之

氣天政布凉迺行燥熱交合燥極而澤民病寒熱四之
氣寒雨降病暴仆振慄譫妄少氣嗌乾引飲及爲心痛
癰腫瘡瘍瘧寒之疾骨痿血便五之氣春令反行草迺
生榮民氣和終之氣陽氣布候反温蟄蟲來見流水不
冰民迺康平其病温故食歲穀以安其氣食間穀以去
其邪歲宜以鹹以苦以辛汗之清之散之安其運氣無
使受邪折其鬱氣資其化源以寒熱輕重少多其制同
熱者多天化同清者多地化用凉遠凉用熱遠熱用寒
遠寒用温遠温食宜同法有假者反之此其道也反之
者亂天地之經擾陰陽之紀也帝曰善少陽之政奈何
岐伯曰寅申之紀也

少陽　大角　厥陰　壬寅　壬申　其氣風鼓　其
化鳴紊啟折　其變振拉摧拔　其病掉眩支脇驚
駭
大角初正　少徵　大宮　少商　大羽終
少陽　大徵　厥陰　戊寅天符　戊申天符　其運
暑　其化暄囂鬱燠　其變炎烈沸騰　其病上熱
鬱血溢血泄心痛
大徵　少宮　大商　少羽終　少角初
少陽　大宮　厥陰　甲寅　甲申　其運陰雨　其
化柔潤重澤　其變震驚飄驟　其病體重胕腫痞
飲

大宮　少商　大羽終　大角初　少徵

少陽　大商　厥陰　庚寅　庚申　同正商　其運涼　其化霧露清切　其變肅殺凋零　其病肩背胷中

大商　少羽終　少角初　大徵　少宮

少陽　大羽　厥陰　丙寅　丙申　其運寒肅　其化凝慘凓冽　其變氷雪霜雹　其病寒浮腫

大羽終　大角初　少徵　大宮　少商

凡此少陽司天之政氣化運行先天天氣正地氣擾風迺暴舉木偃沙飛炎火迺流陰行陽化雨迺時應火木同德上應熒惑歲星其穀丹蒼其政嚴其令擾故風熱

參布雲物沸騰大陰橫流寒迺時至涼雨並起民病寒中外發瘡瘍內爲泄滿故聖人遇之和而不爭往復之作民病寒熱瘧泄聾瞑嘔吐上怫佛音腫色變初之氣地氣遷風勝迺搖寒迺去候迺大溫草木早榮寒來不殺溫病迺起其病氣怫於上血溢目赤欬逆頭痛血崩脇滿膚腠中瘡二之氣火反鬱白埃四起雲趨雨府風下勝濕雨迺零民迺康其病熱鬱於上欬逆嘔吐瘡發於中胷嗌不利頭痛身熱昏憒膿瘡三之氣天政布炎暑至少陽臨上雨迺涯民病熱中聾瞑血溢膿瘡欬嘔鼽衄渴嚏欠喉痺目赤善暴死四之氣涼迺至炎暑間化白露降民氣和平其病滿身重五之氣陽迺去寒迺來

雨迺降氣門迺閉剛木早凋民避寒邪君子周密終之氣地氣正風迺至萬物反生霿蒙之音務霧以行其病關閉不禁心痛陽氣不藏而欬抑其運氣贊所不勝必折其鬱氣先取化源暴過不生苛疾不起故歲宜鹹宜辛宜酸滲之泄之漬之發之觀氣寒溫以調其過同風熱者多寒化異風熱者少寒化用熱遠熱用溫遠溫用寒遠寒用涼遠涼食宜同法此其道也有假者反之反是者病之階也帝曰善太陰之政奈何歧伯曰丑未之紀也

太陰　少角　太陽　清熱勝復同　同正宮　丁丑

丁未　其運風清熱

少角初正　太徵　少宮　太商　少羽終

太陰　少徵　太陽　寒雨勝復同　癸丑　癸未

其運熱寒雨

少徵　太宮　少商　大羽終　大角

太陰　少宮　太陽　風清勝復同　同正宮　己丑

大一天符　己未大一天符　其運風雨清

少宮　大商　少羽終　少角初　大徵

太陰　少商　太陽　熱寒勝復同　乙丑　乙未

其運涼熱寒

少商　大羽終　大角初　少徵　大宮

太陰　少羽　太陽　雨風勝復同　同正宮　辛丑

辛未　其運寒雨風

少羽終　少角初　大徵　少宮　大商

凡此太陰司天之政氣化運行後天陰專其政陽氣退辟大風時起天氣下降地氣上騰原野昏霧白埃四起雲奔南極寒雨數至物成於差夏民病寒濕腹滿身䐜憤胕腫痞逆寒厥拘急濕寒合德黃黑埃昏流行氣交上應鎮星辰星其政肅其令寂其穀黅玄故陰凝於上寒積於下寒水勝火則爲冰雹陽光不治殺氣迺行故有餘宜高不及宜下有餘宜晚不及宜早土之利氣之化也民氣亦從之間穀命其太也初之氣地氣遷寒迺去春氣至風迺來生布萬物以榮民氣條舒風濕相薄雨迺後民病血溢筋絡拘強關節不利身重筋痿二之

氣大火正物承化民迺和其病溫厲大行遠近咸若濕蒸相薄雨迺時降三之氣天政布濕氣降地氣騰雨迺時降寒迺隨之感於寒濕則民病身重胕腫胷腹滿四之氣畏火臨溽蒸化地氣騰天氣否隔寒風曉暮蒸熱相薄草木凝煙濕化不流則白露陰布以成秋令民病腠理熱血暴溢瘧心腹滿熱臚脹甚則胕腫五之氣慘令已行寒露下霜迺早降草木黃落寒氣及體君子周密民病皮腠終之氣寒大舉濕大化霜迺積陰迺凝水堅冰陽光不治感於寒則病人關節禁固腰脽痛寒濕持於氣交而爲疾也必折其鬱氣而取化源益其歲氣無使邪勝食歲穀以全其真食間穀以保其精故歲宜

以苦燥之溫之甚者發之泄之不發不泄則濕氣外溢肉潰皮折而水血交流必賛其陽火令禦甚寒從氣異同少多其判也同寒者以熱化同濕者以燥化異者少之同者多之用凉遠凉用寒遠寒用溫遠溫用熱遠熱食宜同法假者反之此其道也反是者病也帝曰善少陰之政奈何歧伯曰子午之紀也

少陰　大角　陽明　壬子　壬午　其運風鼓　其化鳴紊啓折　其變振拉摧拔　其病支滿

大角初正　少徵　大宫　少商　大羽終

少陰　大徵　陽明　戊子天符　戊午大一天符

其運炎暑　其化暄曜鬱燠　其變炎烈沸騰　其

病上熱血溢

大徵 少宮 大商 少羽終 少角初

少陰 大宮 陽明 甲子 甲午 其運陰雨 其
化柔潤時雨 其變震驚飄驟 其病中滿身重

大宮 少商 大羽終 大角初 少徵

少陰 大商 陽明 庚子 庚午 同正商 其運
涼勁 其化霧露蕭飋 其變肅殺凋零 其病下
清

大商 少羽 少角初 大徵 少宮

少陰 大羽 陽明 丙子歲會 丙午 其運寒
其化凝慘凓冽 其變氷雪霜雹 其病寒下

其化凝慘凓冽　其變氷雪霜雹　其病寒下

大羽終　大角初　少徵　大宫　少商

凡此少陰司天之政氣化運行先天天地氣肅天氣明寒交暑熱加燥雲馳雨府濕化迺行時雨迺降金火合德上應熒惑太白其政明其令切其穀丹白水火寒熱持於氣交而爲病始也熱病生於上清病生於下寒熱凌犯而爭於中民病欬喘血溢血泄鼽嚔目赤眥瘍寒厥入胃心痛腰痛腹大嗌乾腫上初之氣地氣遷燥將去寒迺始蟄復藏水迺氷霜復降風迺至陽氣鬱民反周密關節禁固腰脽痛炎暑將起中外瘡瘍二之氣陽氣布風迺行春氣以正萬物應榮寒氣時至民迺和其

病淋目瞑目赤氣鬱於上而熱三之氣天政布大火行庶類蕃鮮寒氣時至民病氣厥心痛寒熱更作欬喘目赤四之氣溽暑至大雨時行寒熱互至民病寒熱嗌乾黃癉鼽衄飲發五之氣畏火臨暑反至陽迺化萬物迺生迺長榮民迺康其病温終之氣燥令行餘火內格腫於上欬喘甚則血溢寒氣數舉則霧霿翳病生皮腠內舍於脇下連少腹而作寒中地將易也必抑其運氣資其歲勝折其鬱發先取化源無使暴過而生其病也食歲穀以全真氣食間穀以辟虛邪歲宜鹹以耎之而調其上甚則以苦發之以酸收之而安其下甚則以苦泄之適氣同異而多少之同天氣者以寒清化同地氣者

以温熱化用熱遠熱用凉遠凉用温遠温用寒遠寒食宜同法有假則反此其道也作是者病作矣帝曰善厥陰之政奈何岐伯曰巳亥之紀也

厥陰　少角　少陽　清熱勝復同　同正角　丁巳　天符　丁亥天符　其運風清熱

少角初正　大徵　少宫　大商　少羽終

厥陰　少徵　少陽　寒雨勝復同　癸巳　癸亥　其運熱寒雨

少徵　大宫　少商　大羽終　大角初

厥陰　少宫　少陽　風清勝復同　同正角　巳巳　己亥　其運雨風清

少宫 大商 少羽終 少角初 大徵

厥陰 少商 少陽 熱寒勝復同 同正角 乙巳

乙亥 其運涼熱寒

少商 大羽終 大角初 少徵 大宫

厥陰 少羽 少陽 雨風勝復同 辛巳 辛亥

其運寒雨風

少羽終 少角初 大徵 少宫 大商

凡此厥陰司天之政氣化運行後天諸同正歲氣化運行同天天氣擾地氣正風生高遠炎熱從之雲趨雨府濕化迺行風火同德上應歲星熒惑其政撓其令速其穀倉丹間穀言大者其耗文角品羽風燥火熱勝復更

作蟄蟲來見流水不氷熱病行於下風病行於上風燥勝復形於中初之氣寒始肅殺氣方至民病寒於右之下二之氣寒不去華雪水氷殺氣施化霜迺降名草上焦寒雨數至陽復化民病熱於中三之氣天政布風迺時舉民病泣出耳鳴掉眩四之氣溽暑濕熱相薄爭於左之上民病黄癉而爲胕腫五之氣燥濕更勝沈陰迺布寒氣及體風雨迺行終之氣畏火司令陽迺大化蟄蟲出見流水不氷地氣大發草迺生人迺舒其病温厲必折其鬱氣資其化源贊其運氣無使邪勝歲宜以辛調上以鹹調下畏火之氣無妄犯之用温遠温用熱遠熱用涼遠涼用寒遠寒食宜同法有假反常此之道也

反是者病帝曰善夫子言可謂悉矣然何以明其應乎岐伯曰昭乎哉問也夫六氣者行有次止有位故常以正月朔日平旦視之覩其位而知其所在矣運有餘其至先運不及其至後此天之道氣之常也運非有餘非不足是謂正歲其至當其時也帝曰勝復之氣其常在也災眚時至候也奈何岐伯曰非氣化者是謂災也帝曰天地之數終始奈何岐伯曰悉乎哉問也是明道也數之始起於上而終於下歲半之前天氣主之歲半之後地氣主之上下交互氣交主之歲紀畢矣故曰位明氣月可知乎所謂氣也帝曰余司其事則而行之不合其數何也岐伯曰氣用有多少化洽有盛衰衰盛多少

同其化也帝曰願聞同化何如岐伯曰風温春化同熱
曛昏火夏化同勝與復同燥清煙露秋化同雲雨昏暝
埃長夏化同寒氣霜雪冰冬化同此天地五運六氣之
化更用衰盛之常也帝曰五運行同天化者命曰天符
余知之矣願聞同地化者何謂也岐伯曰大過而同天
化者三不及而同天化者亦三大過而同地化者三不
及而同地化者亦三此凡二十四歲也帝曰願聞其所
謂也岐伯曰甲辰甲戌大宮下加太陰壬寅壬申太角
下加厥陰庚子庚午大商下加陽明如是者三癸巳癸
亥少徵下加少陽辛丑辛未少羽下加太陽癸卯癸酉
少徵下加少陰如是者三戊子戊午太徵上臨少陰戊

寅戊申大徵上臨少陽丙辰丙戌大羽上臨太陽如是
者三丁巳丁亥少角上臨厥陰乙卯乙酉少臨陽明己
丑己未少宮上臨太陰如是者三除此二十四歲則不
加不臨也帝曰加者何謂岐伯曰大過而加同天符不
及而加同歲會也帝曰臨者何謂岐伯曰大過不及皆
曰天符而變行有多少病形有微甚生死有早晏耳帝
曰夫子言用寒遠寒用熱遠熱余未知其然也願聞何
謂遠岐伯曰熱無犯熱寒無犯寒從者和逆者病不可
不敬畏而遠之所謂時與六位也帝曰溫涼何如岐伯
曰司氣以熱用熱無犯司氣以寒用寒無犯司氣以涼
用涼無犯司氣以溫用溫無犯間氣同其主無犯異其

主則小犯之是謂四畏民謹察之帝曰善其犯者何如岐伯曰天氣反時則可依時及勝其主則可犯以平爲期而不可過是爲邪氣反勝者故曰無失天信無逆氣宜無翼其勝無贊其復是爲至治帝曰善五運氣行主歲之紀其有常數乎岐伯曰臣請次之

甲子　甲午歲

上少陰火　中大宫土運　下陽明金　熱化二　雨化五　燥化四　所謂正化日也　其化上鹹寒中苦熱下酸熱所謂藥食宜也

乙丑　乙未歲

上太陰土　中少商金運　下太陽水　熱化　寒

化勝復同　所謂邪氣化日也　災七宮　濕化五
清化四　寒化六　所謂正化日也　其化上苦
熱中酸和下甘熱所謂藥食宜也

丙寅　丙申歲

上少陽相火　中大羽水運　下厥陰木　火化二
寒化六　風化三　所謂正化日也　其化上鹹
寒中鹹溫下辛溫所謂藥食宜也

丁卯歲會　丁酉歲

上陽明金　中少角木運　下少陰火　清化熱
化勝復同　所謂邪氣化日也　災三宮　燥化九
風化三　熱化七　所謂正化日也　其化上苦

小温中辛和下鹹寒所謂藥食宜也

戊辰　戊戌歲

上太陽水　中大徵火運　下大陰土　寒化六

熱化七　濕化五　所謂正化日也　其化上苦温

中甘和下甘温所謂藥食宜也

巳巳　巳亥歲

上厥陰木　中少宮土運　下少陽相火　風化

清化勝復同　所謂邪氣化日也　災五宮　風化

三　濕化五　火化八　所謂正化日也　其化上

辛京中廿和下鹹寒所謂藥食宜也

庚午同天符　庚子歲同天符

上少陰火　中大商金運　下陽明金　熱化七
清化九　燥化九　所謂正化日也　其化上鹹寒
中辛温下酸温所謂藥食宜也
辛未同歲會　辛丑歲同歲會
上太陰土　中少羽水運　下太陽水雨化　風化
勝復同　所謂邪氣化日也　災一宮　雨化五
寒化一　所謂正化日也　其化上苦熱中苦和下
苦熱所謂藥食宜也
壬申同天符　壬寅歲同天符
上少陽相火　中大角木運　下厥陰木　火化二
風化八　所謂正化日也　其化上鹹寒　中酸

和下辛凉所謂藥食宜也

癸酉同歲會　癸卯同歲會

上陽明金　中少徵火運　下少陰火　寒化雨

化勝復同所謂邪氣化日也　災九宮　燥化九

熱化二　所謂正化日也　其化上苦小溫一本作上苦熱

中鹹溫下鹹寒所謂藥食宜也

甲戌歲會同天符　甲辰歲會同天符

上太陽水　中太宮土運　下太陰土　寒化六

濕化五　所謂正化日也　其化上苦熱　中苦溫

所謂藥食宜也

乙亥　乙巳歲

上厥陰木　中少商金運　下少陽相火　熱化
寒化勝復同　所謂邪氣化日也　災七宫　風化
八　清化四　火化二　正化度也　其化上辛凉
中酸和下鹹寒藥食宜也

丙子歲會　丙午歲

上少陰火　中大羽水運　下陽明金　熱化二
寒化六　清化四　正化度（亦謂日）也　其化上鹹寒
中鹹熱下酸温藥食宜也

丁丑　丁未歲

上太陰土　中少角木運　下太陽水　清化　熱
化勝復同　邪氣化度也　災三宫　雨化五　風

化三　寒化一　正化度也　其化上苦溫中辛溫
下甘熱藥食宜也

戊寅天符　戊申歲天符

上少陽火　中大徵火運　下厥陰木　火化二
風化三　正化度也　其化上鹹寒中甘和下新涼
藥食宜也

己卯　己酉歲

上陽明金　中少宮土運　下少陰火　風化　清
化　勝復同　邪氣化度也　災五宮　清化九
雨化五　熱化七　正化度也　其化上苦小溫中
甘和下鹹寒藥食宜也

庚辰　庚戌歲

上太陽水　中太商金運　下太陰土　寒化一

清化九　雨化五　正化度也　其化上苦熱中辛

温下甘熱藥食宜也

辛巳　辛亥歲

上厥陰木　中少羽水運　下少陽相火　雨化

風化勝復同　邪氣化度也　災一宮　風化三

寒化一　火化二　正化度也

壬午　壬子歲

上少陰火　中大角木運　下陽明金　熱化二

風化八　清化四　正化度也　其化上鹹寒中酸

涼下酸温藥食宜也

癸未 癸丑歲

上太陰土 中少徵火運 下太陽水 寒化 雨化勝復同 邪氣化度也 災九宫 雨化五 火化二 寒化一 正化度也 其化上苦温中鹹温下甘熱藥食宜也

甲申 甲寅歲

上少陽相火 中大宫土運 下厥陰木 火化二 雨化五 風化八 正化度也 其化上鹹寒中鹹和下辛涼藥食宜也

乙酉太一天符 乙卯歲天符

上陽明金　中少商金運　下少陰火　熱化　寒化勝復同　邪氣化度也　災七宮　燥化四　清化四　熱化二　正化度也　其化上苦小溫中苦和下鹹寒藥食宜也

丙戌天符　丙辰歲天符

上太陽水　中大羽水運　下太陰土　寒化六雨化五　正化度也　其化上苦熱中鹹溫下甘熱藥食宜也

丁亥天符　丁巳歲天符

上厥陰木　中少角木運　下少陽相火　清化熱化勝復同　邪氣化度也　災三宮　風化三

火化七　正化度也　其化上辛涼中辛和下鹹寒

藥食宜也

戊子天符戊午歲太一天符

上少陰火　中大徵火運　下陽明金　熱化七

清化九　正化度也　其化上鹹寒中甘寒下酸溫

藥食宜也

己丑太一天符己未歲太一天符

上太陰土　中少宮土運　下太陽水　風化　清

化勝復同　邪氣化度也　災五宮　雨化五　寒

化一　正化度也　其化上苦熱中甘和下甘熱藥

食宜也

庚寅　庚申歲

上少陽相火　中大商金運　下厥陰木　火化七

清化九　風化三　正化度也　其化上鹹寒中

辛温下辛凉藥食宜也

辛卯　辛酉歲

上陽明金　中少羽水運　下少陰火　雨化　風

化勝復同　邪氣化度也　災一宫　清化九　寒

化一　熱化七　正化度也　其化上苦小温中苦和

下鹹寒藥食宜也

壬辰　壬戌歲

上太陽水　中大角木運　下太陰土　寒化六

風化八　雨化五　正化度也　其化上苦溫中酸

和下甘温藥食宜也

癸巳同歲會　癸亥同歲會

上厥陰木　中少徵火運　下少陽相火　寒化

雨化勝復同　邪氣化度也　災九宮　風化八

火化二　正化度也　其化上辛涼中鹹和下鹹寒

藥食宜也

凡此定期之紀勝復正化皆有常數不可不察故知其要者一言而終不知其要流散無窮此之謂也帝曰善五運之氣亦復歲乎岐伯曰鬱極迺發待時而作也帝曰請問其所謂也岐伯曰五常之氣大過不及其發異

也帝曰願卒聞之歧伯曰大過者暴不及者徐暴者為病甚徐者為病持帝曰大過不及其數何如歧伯曰大過者其數成不及者其數生土常以生也帝曰其發也何如歧伯曰土鬱之發巖谷震驚雷殷氣交埃昬黃黑化為白氣飄驟高深擊石飛空洪水迺從川流漫衍田牧土駒化氣迺敷善為時雨始生始長始化始成故民病心腹脹腸鳴而為數後甚則心痛脇䐜嘔吐霍亂飲發注下胕腫身重雲奔雨府霞擁朝陽山澤埃昬其迺發也以其四氣雲橫天山浮遊生滅怫之先兆金鬱之發天潔地明氣清氣切大凉迺舉草樹浮煙燥氣以行霜霧數起殺氣來至草木蒼乾金迺有聲故民病欬逆

心脇滿引少腹善暴痛不可反側嗌乾面陳色惡山澤
焦枯土凝霜鹵怫迺發也其氣五夜零白露林莽聲悽
怫之兆也水鬱之發陽氣迺辟陰氣暴舉大寒迺至川
澤嚴凝寒雰結爲霜雪甚則黃黑昏翳流行氣交迺爲
霜殺水迺見祥故民病寒客心痛腰脽痛大關節不利
屈伸不便善厥逆痞堅腹滿陽光不治空積沈陰白埃
昬瞑而迺發也其氣二火前後太虛深玄氣猶麻散微
見而隱色黑微黃怫之先兆也木鬱之發太虛埃昏雲
物以擾大風迺至屋發折木木有變故民病胃脘當心
而痛上支兩脇鬲咽不通食飲不下甚則耳鳴眩轉目
不識人善暴僵仆太虛蒼埃天山一色或爲濁色黃黑

鬱若橫雲不起雨而迺發也其氣無常長川草偃柔葉
呈陰松吟高山虎嘯巖岫怫之先兆也火鬱之發大虛
腫翳大明不彰炎火行大暑至山澤燔燎材木流津廣
厦騰煙土浮霜鹵止水迺減蔓草焦黃風行惑言濕化
迺後故民病少氣瘡瘍癰腫脇腹胷背面首四支䐜憤
臚脹瘍怫嘔逆瘛瘲骨痛節迺有動注下溫瘧腹中暴
痛血溢流注精液迺少目赤心熱甚則瞀悶懊憹善暴
死刻終大溫汗濡玄府其迺發也其氣四動復則靜陽
極反陰濕令迺化迺成華發水凝山川氷雪焰陽午澤
怫之先兆也有怫之應而後報也皆觀其極而迺發也
本發無時水隨火也謹候其時病可與期失時反歲五

氣不行生化收藏政無恒也帝曰水發而雹雪土發而飄驟木發而毀折金發而清明火發而曛昧何氣使然岐伯曰氣有多少發有微甚微者當其氣甚者兼其下徵其下氣而見可知也帝曰善五氣之發不當位者何也岐伯曰命其差帝曰差有數乎岐伯曰後皆三十度而有奇也帝曰氣至而先後者何岐伯曰運大過則其至先運不及則其至後此候之常也帝曰當時而至者何也岐伯曰非大過非不及則至當其時是者眚也帝曰善氣有非時而化者何也岐伯曰大過者當其時不及者歸其已勝也帝曰四時之氣至有早晏高下左右其候何如岐伯曰行有逆順至有遲速故大過者化先

天不及者化後天帝曰願聞其行何謂也岐伯曰春氣西行夏氣北行秋氣東行冬氣南行故春氣始於下秋氣始於上夏氣始於中冬氣始於標春氣始於左秋氣始於右冬氣始於後夏氣始於前此四時正化之常故至高之地冬氣常在至下之地春氣常在必謹察之帝曰善黄帝問曰五運六氣之應見六化之正六變之紀何如岐伯對曰夫六氣正紀有化有變有勝有復有用有病不同其候帝欲何乎帝曰願盡聞之岐伯曰請遂言之夫氣之所至也厥陰所至爲和平少陰所至爲暄太陰所至爲埃溽少陽所至爲炎暑陽明所至爲清勁太陽所至爲寒雰時化之常也厥陰所至爲風府爲璺

璺啓少陰所至爲大火府爲舒榮太陰所至爲雨府
爲員盈少陽所至爲熱府爲行出陽明所至爲司殺府
爲庚蒼太陽所至爲寒府爲歸藏司化之常也厥陰所
至爲生爲風搖少陰所至爲榮爲形見太陰所至爲化
爲雲雨少陽所至爲長爲蕃鮮陽明所至爲收爲霧露
太陽所至爲藏爲周密氣化之常也厥陰所至爲風生
終爲肅少陰所至爲熱生中爲寒太陰所至爲濕生終
爲注雨少陽所至爲火生終爲蒸溽陽明所至爲燥生
終爲涼太陽所至爲寒生中爲溫德化之常也厥陰所
至爲毛化少陰所至爲羽化太陰所至爲倮化少陽所
至爲雨化陽明所至爲介化太陽所至爲鱗化德化之

常也厥陰所至爲生化少陰所至爲榮化太陰所至爲濡化少陽所至爲茂化陽明所至爲堅化太陽所至爲藏化布政之常也厥陰所至爲飄怒大凉少陰所至爲大暄寒太陰所至爲雷霆驟注烈風少陽所至爲飄風燔燎霜凝陽明所主爲散落温太陽所至爲寒雪氷雹白埃氣變之常也厥陰所至爲撓動爲迎隨少陰所至爲高明焰爲曛太陰所至爲沉陰爲白埃爲晦暝少陽所至爲光顯爲彤雲爲曛陽明所至爲烟埃爲霜爲勁切爲悽鳴太陽所至爲剛固爲堅芒爲立令行之常也厥陰所至爲裏急少陰所至爲瘍胗身熱太陰所至爲積飲否隔少陽所至爲嚏嘔爲瘡瘍陽明所至爲浮虛

太陽所至爲屈伸不利病之常也厥陰所至爲支痛少陰所至爲驚惑惡寒戰慄譫妄太陰所至爲稸滿少陽所至爲驚躁瞀音茂昧暴病陽明所至爲鼽尻陰股膝髀腨䯒足病太陽所至爲腰痛病之常也厥陰所至爲緛戾少陰所至爲悲妄衄衊莫結反汙血也爲行勁太陰所至爲中滿霍亂吐下少陽所至爲喉痺耳鳴嘔涌陽明所至爲脇痛皴揭太陽所至爲寢汗痙病之常也厥陰所至爲脇痛嘔泄少陰所至爲語笑太陰所至爲重胕腫少陽所至爲暴注瞤瘛暴死陽明所至爲鼽嚏太陽所至爲流泄禁止病之常也凡此十二變者報德以德報化以化報政以政報執疑作報令以令氣高則高氣下則下氣

後則後氣前則前氣中則中氣外則外位之常也故風勝則動熱勝則腫燥勝則乾寒勝則浮濕勝則濡泄甚則水閉胕腫隨氣所在以言其變耳帝曰願聞其用也岐伯曰夫六氣之用各歸不勝而爲化故太陰雨化施於太陽太陽寒化施於少陰少陰熱化施於陽明陽明燥化施於厥陰厥陰風化施於太陰各命其所在以徵之也帝曰自得其位何如岐伯曰自得其位常化也帝曰願聞所在也岐伯曰命其位而方月可知也帝曰六位之氣盈虛何如岐伯曰太少異也大者之至徐而常少者暴而亡帝曰天地之氣盈虛何如岐伯曰天氣不足地氣隨之地氣不足天氣從之運居其中而常先也

惡所不勝歸所同和隨運歸從而生其病也故上勝則天氣降而下下勝則地氣遷而上勝多少而差其分微者小差甚者大差甚則位易氣交易則大變生而病作矣大要曰甚紀五分微紀七分其差可見此之謂也帝曰善論言熱無犯熱寒無犯寒余欲不遠寒不遠熱奈何岐伯曰悉乎哉問也發表不遠熱攻裏不遠寒帝曰不發不攻而犯寒犯熱何如岐伯曰寒熱内賊其病益甚帝曰願聞無病者何如岐伯曰無者生之有者甚之帝曰生者何如岐伯曰不遠熱則熱至不遠寒則寒至寒至則堅否腹滿痛急下利之病生矣熱至則身熱吐下霍亂癰疽瘡瘍瞀音冒悶也鬱注下瞤瘛腫脹嘔鼽衄頭

痛骨節變肉痛血溢血泄淋閟之病生矣帝曰治之柰何岐伯曰時必順之犯者治以勝也黄帝問曰婦人重身毒之何如岐伯曰有故無殞亦無殞也帝曰願聞其故何謂也岐伯曰大積大聚其可犯也衰其大半而止過者死帝曰善鬱之甚者治之柰何岐伯曰木鬱達之火鬱發之土鬱奪之金鬱泄之水鬱折之然調其氣過者折之以其畏也所謂瀉之帝曰假者何如岐伯曰有假其氣則無禁也所謂主氣不足客氣勝也帝曰至哉聖人之道天地大化運行之節臨御之紀陰陽之政寒暑之令非夫子孰能通之請藏之靈蘭之室署曰六元正紀非齋戒不敢示慎傳也

黃帝内經素問卷之十一

黄帝内經素問卷之二十二

刺法論篇第七十二亡

本病論篇第七十三亡

至眞要大論篇第七十四

黄帝問曰五氣交合盈虚更作余知之矣六氣分治司天地者其至何如歧伯再拜對曰明乎哉問也天地之大紀人神之通應也帝曰願聞上合昭昭下合冥冥柰何歧伯曰此道之所主工之所疑也帝曰願聞其道也歧伯曰厥陰司天其化以風少陰司天其化以熱太陰司天其化以濕少陽司天其化以火陽明司天其化以燥太陽司天其化以寒以所臨藏位命其病者也帝曰

地化柰何岐伯曰司天同候間氣皆然帝曰間氣何謂岐伯曰司左右者是謂間氣也帝曰何以異之岐伯曰主歲者紀歲間氣者紀步也帝曰善歲主柰何岐伯曰厥陰司天爲風化在泉爲酸化司氣爲蒼化間氣爲動化少陰司天爲熱化在泉爲苦化不司氣化居氣爲灼化太陰司天爲濕化在泉爲甘化司氣爲黅化間氣爲柔化少陽司天爲火化在泉爲苦化司氣爲丹化間氣爲明化陽明司天爲燥化在泉爲辛化司氣爲素化間氣爲清化太陽司天爲寒化在泉爲鹹化司氣爲玄化間氣爲藏化故治病者必明六化分治五味五色所生五藏所宜廼可以言盈虛病生之緒也帝曰厥陰在泉

而發化先余知之矣風化之行也何如岐伯曰風行于地所謂本也餘氣同法本乎天者天之氣也本乎地者地之氣也天地合氣六節分而萬物化生矣故曰謹候氣宜無失病機此之謂也帝曰其主病何如岐伯曰司歲備物則一作朴無遺主矣帝曰先歲疑作司歲物何也岐伯曰天地之專精也帝曰司氣者何如岐伯曰司氣者主歲同然有餘不足也帝曰非司歲物何謂也岐伯曰散也故質同而異等也氣味有薄厚性用有躁靜治保有多少力化有淺深此之謂也帝曰歲主藏害何謂岐伯曰以所不勝命之則其要也帝曰治之奈何岐伯曰上淫于下所勝平之外淫于內所勝治之帝曰善平氣何

如岐伯曰謹察陰陽所在而調之以平爲期正者正治反者反治帝曰夫子言察陰陽所在而調之論言人迎與寸口相應若引繩小大齊等命曰平陰之所在寸口何如岐伯曰視歲南北可知之矣帝曰願卒聞之岐伯曰北政之歲少陰在泉則寸口不應厥陰在泉則右不應太陰在泉則左不應南政之歲少陰司天則寸口不應厥陰司天則右不應太陰司天則左不應諸不應者反其診則見矣帝曰尺候何如岐伯曰北政之歲三陰在下則寸不應三陰在上則尺不應南政之歲三陰在天則寸不應三陰在泉則尺不應左右同故曰知其要者一言而終不知其要流散無窮此之謂也帝曰善天

地之氣内淫而病何如岐伯曰歲厥陰在泉風淫所勝則地氣不明平野昧草迺早秀民病洒洒振寒善伸數欠心痛支滿兩脇裏急飲食不下鬲咽不通食則嘔腹脹善噫得後與氣則快然如衰身體皆重歲少陰在泉熱淫所勝則焰浮川澤陰處反明民病腹中常鳴氣上衝胷喘不能久立寒熱皮膚痛目瞑齒痛䪼腫惡寒發熱如瘧少腹中痛腹大蟄蟲不藏歲太陰在泉草迺早榮上四字疑衍濕淫所勝則埃昏巖谷黄反見黑至陰之交民病飲積心痛耳聾渾渾焞焞普庚切嗌腫喉痺陰病血見少腹痛腫不得小便病衝頭痛目似脱項似拔腰似折髀不可以回膕如結腨如別歲少陽在泉火淫所勝

則焰明郊野寒熱更至民病注泄赤白少腹痛溺赤甚
則血便少陰同候歲陽明在泉燥淫所勝則霿霧清瞑
民病喜嘔嘔有苦善大息心脇痛不能反側甚則嗌乾
面塵身無膏澤足外反熱歲太陽在泉寒淫所勝則凝
肅慘慄民病少腹控睪音高陰丸也引腰脊上衝心痛血見
嗌痛頷腫帝曰善治之柰何岐伯曰諸氣在泉風淫于
內治以辛涼佐以苦以甘緩之以辛散之熱淫于內治
以鹹寒佐以甘苦以酸收之以苦發之濕淫于內治以
苦熱佐以酸淡以苦燥之以淡泄之火淫于內治以鹹
冷佐以苦辛以酸收之以苦發之燥淫于內治以苦溫
佐以甘辛以苦下之寒淫于內治以甘熱佐以苦辛以

鹹寫之以辛潤之以苦堅之帝曰善天氣之變何如岐伯曰厥陰司天風淫所勝則太虛埃昏雲物以擾寒生春氣流水不冰民病胃脘當心而痛上支兩脇鬲咽不通飲食不下舌本強食則嘔冷泄腹脹溏泄瘕水閉蟄蟲不出病本于脾衝陽絕死不治少陰司天熱淫所勝怫熱至火行其政民病胷中煩熱嗌乾右胠滿皮膚痛寒熱欬喘大雨且至唾血血泄鼽衄嚏嘔溺色變甚則瘡瘍胕腫肩背臂臑及缺盆中痛心痛肺䐜腹大滿膨膨而喘欬病本于肺尺澤絕死不治太陰司天濕淫所勝則沈陰且布雨變枯槁胕腫骨痛陰痺陰痺者按之不得腰脊頭項痛時眩大便難陰氣不用飢不欲食欬

唾則有血心如懸病本于腎大谿絕死不治少陽司天
火淫所勝則溫氣流行金政不平民病頭痛發熱惡寒
而瘧熱上皮膚痛色變黄赤傳而爲水身面胕腫腹滿
仰息泄注赤白瘡瘍欬唾血煩心胷中熱甚則鼽衄病
本于肺天府絕死不治陽明司天燥淫所勝則木迺晚
榮草迺晚生筋骨内變民病左胠脇痛寒清于中感而
瘧大凉革候欬腹中鳴注泄鶩溏名木斂生菀于下草
焦上首心脇暴痛不可反側嗌乾面塵腰痛丈夫㿗疝
婦人少腹痛目眛眥瘍瘡痤癰蟄蟲來見病本于肝大
衝絕死不治太陽司天寒淫所勝則寒氣反至水且冰
血變于中發爲癰瘍民病厥心痛嘔血血泄鼽衄善悲

時眩仆運火炎烈雨暴廻雹胷腹滿手熱肘攣掖腫心澹澹大動胷脇胃脘不安面赤目黄善噫嗌乾甚則色炲音臺渴而欲飲病本于心神門絶死不治所謂動氣知其藏也帝曰善治之柰何岐伯曰司天之氣風淫所勝平以辛凉佐以甘苦以甘緩之以酸寫之熱淫所勝平以鹹寒佐以苦甘以酸收之濕淫所勝平以苦熱佐以酸辛辛疑作淡以苦燥之以淡泄之濕上甚而熱治以苦温佐以甘辛以汗爲故而止火淫所勝平以鹹冷佐以苦甘以酸收之以苦發之以酸復之熱淫同燥淫所勝平以苦濕佐以酸辛以苦下之寒淫所勝平以辛熱佐以苦甘以鹹寫之帝曰善邪氣反勝治之柰何岐伯曰風

司于地清反勝之治以酸溫佐以苦甘以辛平之熱司于地寒反勝之治以甘熱佐以苦辛以鹹平之濕司于地熱反勝之治以苦冷佐以鹹甘以苦平之火司于地寒反勝之治以甘熱佐以苦辛以鹹平之燥司于地熱反勝之治以平寒佐以苦甘以酸平之以和爲利寒司于地熱反勝之治以鹹冷佐以甘辛以苦平之帝曰其司天邪勝何如歧伯曰風化于天清反勝之治以酸溫佐以甘苦熱化于天寒反勝之治以甘溫佐以苦酸辛濕化于天熱反勝之治以苦寒佐以苦酸火化于天寒反勝之治以甘熱佐以苦辛燥化于天熱反勝之治以辛寒佐以苦甘寒化于天熱反勝之治以鹹冷佐以苦

黄帝曰六氣相勝柰何岐伯曰厥陰之勝耳鳴頭眩憒憒欲吐胃鬲如寒大風數舉倮蟲不滋胠脇氣并化而爲熱小便黄赤胃脘當心而痛上支兩脇腸鳴飧泄少腹痛注下赤白甚則嘔吐鬲咽不通少陰之勝心下熱善飢臍下反痛氣遊三焦炎暑至木迺津草迺萎嘔逆躁煩腹滿痛溏泄傳爲赤沃太陰之勝火氣内鬱瘡瘍於中流散於外病在胠脇甚則心痛熱格頭痛喉痺項強獨勝則濕氣内鬱寒迫下焦痛留頂互引眉間胃滿雨數至燥化迺見少腹滿腰脽重强内不便善注泄足下温頭重足脛胕腫飲發於中胕腫於上少陽之勝熱客於胃煩心心痛目赤欲嘔嘔酸善飢耳痛溺赤善驚

譫妄暴熱消爍草萎水涸介蟲迺屈少腹痛下沃赤白
陽明之勝清發於中左胠脇痛溏泄內爲嗌塞外發㿗
疝大凉肅殺華英改容毛蟲迺殃胷中不便嗌塞而欬
太陽之勝凝凓且至非時水氷羽迺後化痔瘧發寒厥
入胃則內生心痛陰中迺瘍隱曲不利互引陰股筋肉
拘苛血脉凝泣絡滿色變或爲血泄皮膚否腫腹滿食
減熱反上行頭項顖頂腦戶中痛目如脫寒入下焦傳
爲濡寫帝曰治之奈何岐伯曰厥陰之勝治以甘清佐
以苦辛以酸寫之少陰之勝治以辛寒佐以苦鹹以甘
寫之太陰之勝治以鹹熱佐以辛甘以苦寫之少陽之
勝治以辛寒佐以甘鹹以甘寫之陽明之勝治以酸溫

佐以辛甘以苦泄之太陽之勝治以甘（疑作苦）熱佐以辛酸以鹹寫之帝曰六氣之復何如岐伯曰悉乎哉問也厥陰之復少腹堅滿裏急暴痛偃木飛沙倮蟲不榮厥心痛汗發嘔吐飲食不入入而復出筋骨掉眩清厥甚則入脾食痺而吐衝陽絶死不治少陰之復燠熱內作煩燥鼽嚏少腹絞痛火見燔焫嗌燥分注時止氣動於左上行於右欬皮膚痛暴瘖心痛鬱冒不知人廼洒淅惡寒振慄譫妄寒已而熱渴而欲飲少氣骨萎隔腸不便外爲浮腫噦噫赤氣後化流水不氷熱氣大行介蟲不復病疿胗瘡瘍癰疽痤痔甚則入肺欬而鼻淵天府絶死不治太陰之復濕變廼舉體重中滿食飲不化陰

氣上厥胷中不便飲發於中欬喘有聲大雨時行鱗見於陸頭項（疑作頂）痛重而掉瘛尤甚嘔而密默唾吐清液甚則入腎竅寫無度大谿絶死不治少陽之復大熱將至枯燥燔爇介蟲廼耗驚瘛欬衄心熱煩燥便數憎風厥氣上行面如浮埃目廼瞤瘛火氣内發上爲口糜嘔逆血溢血泄發而爲瘧惡寒鼓慄寒極反熱嗌絡焦槁渴引水漿色變黄赤少氣脈萎化而爲水傳爲胕腫甚則入肺欬而血泄尺澤絶死不治陽明之復清氣大舉森木蒼乾毛蟲廼厲病生胠脇氣歸於左善太息甚則心痛否滿腹脹而泄嘔苦欬噦煩心病在鬲中頭痛甚則入肝驚駭筋攣太衝絶死不治太陽之復厥氣上行

水凝雨冰羽蟲迺死心胃生寒胷中不利心痛否滿頭痛善悲時眩仆食減腰脽反痛屈伸不便地裂冰堅陽光不治少腹控睪引腰脊上衝心唾出清水及爲噦噫甚則入心善忘善悲神門絶死不治帝曰善治之奈何岐伯曰厥陰之復治以酸一本作辛寒佐以甘辛以酸寫之以甘緩之少陰之復治以鹹寒佐以苦辛以甘寫之以酸收之以苦發之以鹹耎之太陰之復治以苦熱佐以酸辛以苦寫之燥之泄之少陽之復治以鹹冷佐以苦辛以鹹耎之以酸收之辛苦發之發不遠熱無犯温凉少陰同法陽明之復治以辛温佐以苦甘以苦泄之以苦下之以酸補之太陽之復治以鹹熱佐以甘辛以苦

堅之治諸勝復寒者熱之熱者寒之温者清之清者温之散者收之抑者散之燥者潤之急者緩之堅者耎之脆者堅之衰者補之強者寫之各安其氣必清必靜則病氣衰去歸其所宗此治之大體也帝曰善氣之上下何謂也岐伯曰身半以上其氣三矣天之分也天氣主之身半以下其氣三矣地之分也地氣主之以名命氣以氣命處而言其病半所謂天樞也故上勝而下俱病者以地名之下勝而上俱病者以天名之所謂勝至報氣屈伏而未發也復至則不以天地異名皆如復氣爲法也帝曰勝復之動時有常乎氣有必乎岐伯曰時有常位而氣無必也帝曰願聞其道也岐伯曰初氣終三

氣天氣主之勝之常也四氣盡終氣地氣主之復之常
也有勝則復無勝則否帝曰善復已而勝何如岐伯曰
勝至則復無常數也衰迺止耳復已而勝不復則害此
傷生也帝曰復而反病何也岐伯曰居非其位不相得
也大復其勝則主勝之故反病也所謂火燥熱也帝曰
治之奈何岐伯曰夫氣之勝也微者隨之甚者制之氣
之復也和者平之暴者奪之皆隨勝氣安其屈伏無問
其數以平爲期此其道也帝曰善客主之勝復奈何岐
伯曰客主之氣勝而無復也帝曰其逆從何如岐伯曰
主勝逆客勝從天之道也帝曰其生病何如岐伯曰厥
陰司天客勝則耳鳴掉眩甚則欬主勝則胷脇痛舌難

以言少陰司天客勝則鼽嚏頸項強肩背瞀熱頭痛少氣發熱耳聾目瞑甚則胕腫血溢瘡瘍欬喘主勝則心熱煩躁甚則脇痛支滿太陰司天客勝則首面胕腫呼吸氣喘主勝則胷腹滿食已而瞀少陽司天客勝則丹胗外發及爲丹熛瘡瘍嘔逆喉痹頭痛嗌腫耳聾血溢内爲瘛瘲主勝則胷滿欬仰息甚而有血手熱陽明司天清復内餘則欬衄嗌塞心鬲中熱欬不止而白血出者死太陽司天客勝則胷中不利出清涕感寒則欬主勝則喉嗌中鳴厥陰在泉客勝則大關節不利内爲痙強拘瘛外爲不便主勝則筋骨繇併腰腹時痛少陰在泉客勝則腰痛尻股膝髀腨胻足病瞀熱以酸胕腫不

能久立溲便變主勝則厥氣上行心痛發熱鬲中衆痺皆作發於胠脇魄汗不藏四逆而起太陰在泉客勝則足痿下重便溲不時濕客下焦發而濡寫及爲腫隱曲之疾主勝則寒氣逆滿食飲不下甚則爲疝少陽在泉客勝則腰腹痛而反惡寒甚則下白溺白主勝則熱反上行而客於心心痛發熱格中而嘔少陰同候陽明在泉客勝則清氣動下少腹堅滿而數便寫主勝則腰重腹痛少腹生寒下爲鶩溏則寒厥於腸上衝胷中甚則喘不能久立太陽在泉寒復内餘則腰尻痛屈伸不利股脛足膝中痛帝曰善治之柰何岐伯曰高者抑之下者舉之有餘者折之不足者補之佐以所利和以所宜

必安其主客適其寒温同者逆之異者從之帝曰治寒以熱治熱以寒氣相得者逆之不相得者從之余已知之矣其於正味何如歧伯曰木位之主其寫以酸其補以辛火位之主其寫以甘其補以鹹土位之主其寫以苦其補以甘金位之主其寫以辛其補以酸水位之主其寫以鹹其補以苦厥陰之客以辛補之以酸寫之以甘緩之少陰之客以鹹補之以甘寫之以鹹收之太陰之客以甘補之以苦寫之以甘緩之少陽之客以鹹補之以甘寫之以鹹耎之陽明之客以酸補之以辛寫之以苦泄之太陽之客以苦補之以鹹寫之以苦堅之以辛潤之開發腠理致津液通氣也帝曰善願聞陰陽之

三也何謂歧伯曰氣有多少異用也帝曰陽明何謂也歧伯曰兩陽合明也帝曰厥陰何也歧伯曰兩陰交盡也帝曰氣有多少病有盛衰治有緩急方有大小願聞其約奈何歧伯曰氣有高下病有遠近證有中外治有輕重適其至所謂故也大要曰君一臣二奇之制也君二臣四偶之制也君二臣三奇之制也君三臣六偶之制也故曰近者奇之遠者偶之汗者不以奇下者不以偶補上治上制以緩補下治下制以急急則氣味厚緩則氣味薄適其至所此之謂也病所遠而中道氣味之者食而過之無越其制度也是故平氣之道近而奇偶制小其服也遠而奇偶制大其服也大則數少小則數

多多則九之少則二之奇之不去則偶之是謂重方偶之不去則反佐以取之所謂寒熱温凉反從其病也帝曰善病生於本余知之矣生於標者治之柰何歧伯曰病反其本得標之病治反其本得標之方帝曰善六氣之勝何以候之歧伯曰乘其至也清氣大來燥之勝也風木受邪肝病生焉熱氣大來火之勝也金燥受邪肺病生焉寒氣大來水之勝也火熱受邪心病生焉濕氣大來土之勝也寒水受邪腎病生焉風氣大來木之勝也土濕受邪脾病生焉所謂感邪而生病也乘年之虚則邪甚也失時之和亦邪甚也遇月之空亦邪甚也重感於邪則病危矣有勝之氣其必來復也帝曰其脉至

何如歧伯曰厥陰之至其脉弦少陰之至其脉鈎太陰之至其脉沈少陽之至大而浮陽明之至短而濇太陽之至大而長至而和則平至而甚則病至而反者病至而不至者病未至而至者病陰陽易者危帝曰六氣標本所從不同柰何歧伯曰氣有從本者有從標本者有不從標本者也帝曰願卒聞之歧伯曰少陽太陰從本少陰太陽從本從標陽明厥陰不從標本從乎中也故從本者化生於本從標本者有標本之化從中者以中氣爲化也帝曰脉從而病反者其診何如歧伯曰脉至而從按之不鼓諸陽皆然帝曰諸陰之反其脉何如歧伯曰脉至而從按之鼓甚而盛也是故百病之起有生

於本者有生於標者有生於中氣者有取本而得者有取標而得者有取中氣而得者有取標本而得者有逆取而得者有從取而得者逆正順也若順逆也故曰知標與本用之不殆明知逆順正行無間此之謂也不知是者不足以言診足以亂經故大要曰粗工嘻嘻以爲可知言熱未已寒病復始同氣異形迷診亂經此之謂也夫標本之道要而慱小而大可以言一而知百病之害言標與本易而勿損察本與標氣可令調明知勝復爲萬民式天之道畢矣帝曰勝復之變早晏何如岐伯曰夫所勝者勝至已病病已慍慍而復已萌也夫所復者勝盡而起得位而甚勝有微甚復有少多勝和而和

勝虛而虛天之常也帝曰勝復之作動不當位或後時而至其故何也岐伯曰夫氣之生與其化衰盛異也寒暑溫涼盛衰之用其在四維故陽之動始於溫盛於暑陰之動始於清盛於寒春夏秋冬各差其分故大要曰彼春之暖爲夏之暑彼秋之忿爲冬之怒謹按四維斥候皆歸其終可見其始可知此之謂也帝曰差有數乎岐伯曰又凡三十度也帝曰其脉應皆何如岐伯曰差同正法待時而去也脉要曰春不沈夏不弦冬不濇秋不數是謂四塞沈甚曰病弦甚曰病濇甚曰病數甚曰病參見曰病復見曰病未去而去曰病去而不去曰病反者死故曰氣之相守司也如權衡之不得相失也夫

陰陽之氣清靜則生化治動則苛疾起此之謂也帝曰
幽明何如岐伯曰兩陰交盡故曰幽兩陽合明故曰明
幽明之配寒暑之異也帝曰分至何如岐伯曰氣至之
謂至氣分之謂分至則氣同分則氣異所謂天地之正
紀也帝曰夫子言春秋氣始于前冬夏氣始于後余已
知之矣然六氣往復主歲不常也其補寫奈何岐伯曰
上下所主隨其攸利正其味則其要也左右同法大要
曰少陽之主先甘後鹹陽明之主先辛後酸太陽之主
先鹹後苦厥陰之主先酸後辛少陰之主先甘後鹹太
陰之主先苦後甘佐以所利資以所生是謂得氣帝曰
善夫百病之生也皆生於風寒暑濕燥火以之化之變

也經言盛者寫之虛者補之余錫以方士而方士用之尚未能十全余欲令要道必行桴鼓相應由拔刺雪汙工巧神聖可得聞乎岐伯曰審察病機無失氣宜此之謂也帝曰願聞病機何如岐伯曰諸風掉眩皆屬於肝諸寒收引皆屬於腎諸氣膹鬱皆屬於肺諸濕腫滿皆屬於脾諸熱瞀瘛皆屬於火諸痛痒瘡皆屬於心諸厥固泄皆屬於下諸痿喘嘔皆屬於上諸禁鼓慄如喪神守皆屬於火諸痙項強皆屬於濕諸逆衝上皆屬於火諸脹腹大皆屬於熱諸躁狂越皆屬於火諸暴強直皆屬於風諸病有聲鼓之如鼓皆屬於熱諸病胕腫疼酸驚駭皆屬於火諸轉反戾水液渾濁皆屬於熱諸病水

液澄澈清冷皆屬於寒諸嘔吐酸暴注下迫皆屬於熱故大要曰謹守病機各司其屬有者求之無者求之盛者責之虛者責之必先五勝踈其血氣令其調達而至和平此之謂也帝曰善五味陰陽之用何如岐伯曰辛甘發散爲陽酸苦涌泄爲陰鹹味涌泄爲陰淡味滲泄爲陽六者或收或散或緩或急或燥或潤或耎或堅以所利而行之調其氣使其平也帝曰非調氣而得者治之柰何有毒無毒何先何後願聞其道岐伯曰有毒無毒所治爲主適大小爲制也帝曰請言其制岐伯曰君一臣二制之小也君一臣三佐五制之中也君一臣三佐九制之大也寒者熱之熱者寒之微者逆之甚者從

之堅者制之客者除之勞者溫之結者散之留者攻之
燥者濡之急者緩之散者收之損者益之逸者行之驚
者平之上之下之摩之浴之薄之劫之開之發之適事
爲故帝曰何謂逆從岐伯曰逆者正治從者反治從少
從多觀其事也帝曰反治何謂岐伯曰熱因寒用寒因
熱用塞因塞用通因通用必伏其所主而先其所因其
始則同其終則異可使破積可使潰堅可使氣和可使
必已帝曰善氣調而得者何如岐伯曰逆之從之逆而
從之從而逆之疏氣令調則其道也帝曰善病之中外
何如岐伯曰從内之外者調其内從外之内者治其外
從内之外而盛於外者先調其内而後治其外從外之

内而盛於内者先治其外而後調其内中外不相及則
治主病帝曰善火熱復惡寒發熱有如瘧狀或一日發
或間數日發其故何也岐伯曰勝復之氣會遇之時有
多少也陰氣多而陽氣少則其發日遠陽氣多而陰氣
少則其發日近此勝復相薄盛衰之節瘧亦同法帝曰
論言治寒以熱治熱以寒而方士不能廢繩墨而更其
道也有病熱者寒之而熱有病寒者熱之而寒二者皆
在新病復起柰何治岐伯曰諸寒之而熱者取之陰熱
之而寒者取之陽所謂求其屬也帝曰善服寒而反熱
服熱而反寒其故何也岐伯曰治其王氣是以反也帝
曰不治王而然者何也岐伯曰悉乎哉問也不味王味

屬也夫五味入胃各歸所喜攻酸先入肝苦先入心甘先入脾辛先入肺鹹先入腎久而增氣物化之常也氣增而久夭之由也帝曰善方制君臣何謂也岐伯曰主病之謂君佐君之謂臣應臣之謂使非上下三品之謂也帝曰三品何謂岐伯曰所以明善惡之殊貫也帝曰善病之中外何如岐伯曰調氣之方必別陰陽定其中外各守其鄉內者內治外者外治微者調之其次平之盛者奪之汗之下之寒熱溫涼衰之以屬隨其攸利謹道如法萬舉萬全氣血正平長有天命帝曰善

著至教論篇第七十五

黃帝坐明堂召雷公而問之曰子知醫之道乎雷公對

曰誦而頗能解解而未能別別而未能明明而未能彰足以治群僚不足治侯王願得受樹天之度四時陰陽合之別（一本作列）星辰與日月光以彰經術後世益明上通神農著至教疑（一本作擬）於二皇帝曰善無失之此皆陰陽表裏上下雌雄相輸應也而道上知天文下知地理中知人事可以長久以教衆庶亦不疑殆醫道論篇可傳後世可以爲寶雷公曰請受道諷誦用解帝曰子不聞陰陽傳乎曰不知曰夫三陽天（一本作大）爲業上下無常合而病至偏害陰陽雷公曰三陽莫當請聞其解帝曰三陽獨至者是三陽并至并至如風雨上爲巔疾下爲漏病外無期内無正不中經紀診無上下以書別雷公曰

臣治踈愈說意而已帝曰三陽者至陽也積并則爲驚病起疾風至如礔礰九竅皆塞陽氣滂溢乾嗌喉塞并於陰則上下無常薄爲腸澼此謂三陽直心坐不得起臥者便身全重或作三陽之病且以知天下何以別陰陽應四時合之五行雷公曰陽言不別陰言不理請起受解以爲至道帝曰子若受傳不知合至道以惑師教語子至道之要病傷五藏筋骨以消子言不明不別是世主學盡矣腎且絕惋惋日暮從容不出人事不殷

示從容論篇第七十六

黃帝燕坐召雷公而問之曰汝受術誦書者若能覽觀雜學及於比類通合道理爲余言子所長五藏六府膽

胃大小腸脾胞膀胱腦髓涕唾哭泣悲哀水所從行此皆人之所生治之過失子務明之可以十全卽不能知爲世所怨雷公曰臣請誦脉經上下篇甚衆多矣別異比類猶未能以十全又安足以明之帝曰子別試別試一本作識別通五藏之過六府之所不和鍼石之敗毒藥所宜湯液滋味具言其狀悉言以對請問不知雷公曰肝虛腎虛脾虛皆令人體重煩寃當投毒藥刺灸砭石湯液或已或不已願聞其解帝曰公何年之長而問之少余眞問以自謬也吾問子窈冥子言上下篇以對何也夫脾虛浮似肺腎小浮似脾肝急沉散似腎此皆工之所時亂也然從容得之若夫三藏土木水參居此童子之

所知問之何也雷公曰於此有人頭痛筋攣骨重怯然少氣噦噫腹滿時驚不嗜臥此何藏之發也脉浮而弦切之石堅不知其解復問所以三藏者以知其比類也帝曰夫從容之謂也夫年長則求之於府年少則求之於經年壯則求之於藏今子所言皆失八風菀熟五藏消爍傳邪相受夫浮而弦者是腎不足也沉而石者是腎氣內著也怯然少氣者是水道不行形氣消索也欬嗽煩冤者是腎氣之逆也一人之氣病在一藏也若言三藏俱行不在法也雷公曰於此有人四支解墮喘欬血泄而愚診之以為傷肺切脉浮大而緊愚不敢治粗工下砭石病愈多出血血止身輕此何物也帝曰子所

能治知亦衆多與此病失矣譬以鴻飛亦冲於天夫聖人之治病循法守度援物比類化之冥冥循上及下何必守經今夫脉浮大虚者是脾氣之外絶去胃外歸陽明也夫二火不勝三水是以脉亂而無常也四支解墮此脾精之不行也喘欬者是水氣并陽明也血泄者脉急血無所行也若夫以爲傷肺者由失以狂也不引比類是知不明也夫傷肺者脾氣不守胃氣不清經氣不爲使真藏壞決經脉傍絶五藏漏泄不衄則嘔此二者不相類也譬如天之無形地之無理白與黑相去遠矣是失吾過矣以子知之故不告子明引比類從容是以名曰診輕一本作經是謂至道也

疏五過論篇第七十七

黄帝曰嗚呼遠哉閔閔乎若視深淵若迎浮雲視深淵尚可測迎浮雲莫知其際聖人之術爲萬民式論裁志意必有法則循經守數按循醫事爲萬民副故事有五過四德汝知之乎雷公避席再拜曰臣年幼小蒙愚以惑不聞五過與四德比類形名虚引其經心無所對帝曰凡未診病者必問嘗貴後賤雖不中邪病從内生名曰脱營嘗富後貧名曰失精五氣留連病有所并醫工診之不在藏府不變軀形診之而疑不知病名身體日減氣虚無精病深無氣洒洒然時驚病深者以其外耗於衛内奪於榮良工所失不知病情此亦治之一過也

凡欲診病者必問飲食居處暴樂暴苦始樂後一本作始苦皆傷精氣精氣竭絶形體毀沮暴怒傷陰暴喜傷陽厥氣上行滿脉去形愚醫治之不知補寫不知病精精華日脫邪氣迺并此治之二過也善爲脉者必以比精奇恒從容知之爲工而不知道此診之不足貴此治之三過也診有三常必問貴賤封君敗傷及欲一本作公侯王故貴脫勢雖不中邪精神内傷身必敗亡始富後貧雖不傷邪皮焦筋屈痿躄爲攣醫不能嚴不能動神外爲柔弱亂至失常病不能移則醫事不行此治之四過也凡診者必知終始有知餘緒切脉問名當合男女離絶菀結憂恐喜怒五藏空虚血氣離守工不能知何術之語

嘗富大傷斬筋絶脉身體復行令澤不息故傷敗結留薄歸陽膿積寒炅（古迥切）粗工治之亟刺陰陽身體解散四支轉筋死日有期醫不能明不問所發唯言死日亦為粗工此治之五過也凡此五者皆受術不通人事不明也故曰聖人之治病也必知天地陰陽四時經紀五藏六府雌雄表裏刺灸砭石毒藥所主從容人事以明經道貴賤貧富各異品理問年少長勇怯之理審於部分知病本始八正九候診必副矣治病之道氣內為寶循求其理求之不得過在表裏守數據治無失俞理能行此術終身不殆不知俞理五藏菀熟癰發六府診病不審是謂失常謹守此治與經相明上經下經揆度陰

陽奇恒五中央以明堂審於終始可以横行

徵四失論篇第七十八

黄帝在明堂雷公侍坐黄帝曰夫子所通書受事衆多矣試言得失之意所以得之所以失之雷公對曰循經受業皆言十全其時有過失者願聞其事解也帝曰子年少智未及邪將言以雜合邪夫經脉十二絡脉三百六十五此皆人之所明知工之所循用也所以不十全者精神不專志意不理外内相失故時疑殆診不知陰陽逆從之理此治之一失矣受師不卒妄作雜術謬言爲道更名自功妄用砭石後遺身咎此治之二失也不適貧富貴賤之居坐之薄厚形之寒温不適飲食之宜

不別人之勇怯不知比類足以自亂不足以自明此治之三失也診病不問其始憂患飲食之失節起居之過度或傷於毒不先言此卒持寸口何病能中妄言作名爲粗所窮此治之四失也是以世人之語者馳千里之外不明尺寸之論診無人事治數之道從容之葆坐持寸口診不中五脉百病所起始以自怨遺師其咎是故治不能循理棄術於市妄治時愈愚心自得嗚呼窈窈冥冥孰知其道道之大者擬於天地配於四海汝不知道之諭受以明爲晦

陰陽類論篇第七十九

孟春始至黄帝燕坐臨觀八極正八風之氣而問雷公

曰陰陽之類經脉之道五中所主何藏最貴雷公對曰春甲乙青中主肝治七十二日是脉之主時臣以其藏最貴帝曰却念上下經陰陽從容子所言貴最其下也雷公致齋七日旦復侍坐帝曰三陽爲經二陽爲維一陽爲游部此知五藏終始三陽爲表二陰爲裏一陰至絶作朔晦却具合以正其理雷公曰受業未能明帝曰所謂三陽者太陽爲經三陽脉至手太陰而弦浮而不沉決以度察以心合之陰陽之論所謂二陽者陽明也至手太陰弦而沉急不鼓炅至以病皆死一陽者少陽也至手太陰上連人迎弦急懸不絶此少陽之病也專陰則死三陰者六經之所主也交於太陰伏鼓不浮上

空志心二陰至肺其氣歸膀胱外連脾胃一陰獨至經絶氣浮不鼓鈎而滑此六脉者乍陰乍陽交屬相并繆通五藏合於陰陽先至爲主後至爲客雷公曰臣悉盡意受傳經脉頌得從容之道以合從容不知陰陽不知雌雄帝曰三陽爲父二陽爲衛一陽爲紀三陰爲母二陰爲雌一陰爲獨使二陽一陰陽明主病不勝一陰脉耎而動九竅皆沉三陽一陰太陽脉勝一陰不能止内亂五藏外爲驚駭二陰二陽病在肺少陰脉沉勝肺傷脾外傷四支二陰二陽皆交至病在腎罵詈妄行巔疾爲狂二陰一陽病出於腎陰氣客遊於心脘下空竅堤閉塞不通四支別離一陰一陽代絶此陰氣至心上下

無常出入不知喉咽乾燥病在土脾二陽三陰至陰皆在陰不過陽陽氣不能止陰陰陽並絕浮爲血瘕沉爲膿胕陰陽皆壯下至陰陰陽上合昭昭下合冥冥診決死生之期遂合歲首雷公曰請問短期黃帝不應雷公復問黃帝曰在經論中雷公曰請問短期黃帝曰冬三月之病病合於陽者至春正月脉有死徵皆歸出春冬三月之病在理已盡草與柳葉皆殺春陰陽皆絕期在孟春春三月之病曰陽殺陰陽皆絕期在草乾夏三月之病至陰不過十日陰陽交期在濂水秋三月之病三陽俱起不治自已陰陽交合者立不能坐坐不能起三陽獨至期在石水二陰獨至期在盛水

方盛衰論篇第八十

雷公請問氣之多少何者爲逆何者爲從黃帝荅曰陽從左陰從右老從上少從下是以春夏歸陽爲生歸秋冬爲死反之則歸秋冬爲生是以氣多少逆皆爲厥問曰有餘者厥耶荅曰一上不下寒厥到膝少者秋冬死老者秋冬生氣上不下頭痛巔疾求陽不得求陰不審五部隔無徵若居曠野若伏空室緜緜乎屬不滿日是以少陰之厥令人妄夢其極至迷三陽絕三陰微是爲少氣是以肺氣虛則使人夢見白物見人斬血籍籍得其時則夢見兵戰腎氣虛則使人夢見舟船溺人得其時則夢伏水中若有畏恐肝氣虛則夢見菌香生草得其

時則夢伏樹下不敢起心氣虛則夢救火陽物得其時則夢燔灼脾氣虛則夢飲食不足得其時則夢築垣蓋屋此皆五藏氣虛陽氣有餘陰氣不足合之五診調之陰陽以在經脉診有十度度人脉度藏度肉度筋度俞度陰陽氣盡人病自具脉動無常散陰頗陽脉脫不具診無常行診必上下度民君卿受師不卒使術不明不察逆從是爲妄行持雌失雄棄陰附陽不知并合診故不明傳之後世反論自章至陰虛天氣絶至陽盛地氣不足陰陽並交至人之所行陰陽並交者陽氣先至陰氣後至是以聖人持診之道先後陰陽而持之奇恒之勢乃六十首診合微之事追陰陽之變章五中之情其

中之論取虛實之要定五度之事知此乃足以診是以切陰不得陽診消亡得陽不得陰守學不湛知左不知右知右不知左知上不知下知先不知後故治不久知醜知善知病知不病知高知下知坐知起知行知止用之有診診道乃其萬世不殆起所有餘知所不足度事上下脉事因格是以形弱氣虛死形氣有餘脉氣不足死脉氣有餘形氣不足生是以診有大方坐起有常出入有行以轉神明必清必靜上觀下觀司八正邪別五中部按脉動靜循尺滑濇寒温之意視其大小合之病能逆從以得復知病名診可十全不失人情故診之或視息視意故不失條理道甚明察故能長久不知此道

失經絶理亡言妄期此謂失道

解精微論篇第八十一

黄帝在明堂雷公請曰臣授業傳之行教以經論從容形法陰陽刺灸湯藥所滋行治有賢不肖未必能十全若先言悲哀喜怒燥濕寒暑陰陽婦女請問其所以然者卑賤富貴人之形體所從羣下通使臨事以適道術謹聞命矣請問有毚青讒愚仆漏之問不在經者欲聞其狀帝曰大矣公請問哭泣而淚不出者若出而少涕其故何也帝曰在經有也復問不知水所從生涕所從出也帝曰若問此者無益於治也工之所知道之所生也夫心者五藏之專精也目者其竅也華色者其榮也是

以人有德也則氣和於目有亡憂知於色是以悲哀則泣下泣下水所由生水宗水宗一本作衆精者積水也積水者至陰也至陰者腎之精也宗精之水所以不出者是精持之也輔之裹之故水不行也夫水之精爲志火之精爲神水火相感神志俱悲是以目之水生也故諺言曰心悲名曰志悲志與心精共湊於目也是以俱悲則神氣傳於心精上不傳於志而志獨悲故泣出也泣涕者腦也腦者陰一本作陽也髓者骨之充也故腦滲爲涕志者骨之主也是以水流而涕從之者其行類也夫涕之與泣者譬如人之兄弟急則俱死生則俱生其志以早悲是以涕泣俱出而橫行也夫人涕泣俱出而相從者所

屬之類也雷公曰大矣請問人哭泣而淚不出者若出而少涕不從之何也帝曰夫泣不出者哭不悲也不泣者神不慈也神不慈則志不悲陰陽相持泣安能獨來夫志悲者惋惋則沖陰沖陰則志去目志去則神不守精精神去目涕泣出也且子獨不誦不念夫經言乎厥則目無所見夫人厥則陽氣并於上陰氣并於下陽并於上則火獨光也陰并於下則足寒足寒則脹也夫一水不勝五火故目眥一本無眥字盲是以氣衝風泣下而不止夫風之中目也陽氣內守於精是火氣燔目故見風則泣下也有以比之夫火一本無火字疾風生一本無生字乃能雨此之類也

素問卷十二